ROLAND LECLERC
avec la collaboration d'André Raymond

Agenda
Le Jour du Seigneur
2004

Les Éditions
LOGIQUES
QUEBECOR MEDIA

Radio-Canada
Télévision

LOGIQUES est une maison d'édition agréée et reconnue par les organismes d'État responsables de la culture et des communications.

Nous remercions le Conseil des Arts du Canada, le ministère du Patrimione canadien et la Société de développement des entreprises culturelles pour leur appui à notre programme de publication.

Nous reconnaissons l'aide financière du gouvernement du Canada par l'entremise du Programme d'aide au développement de l'industrie de l'édition (PADIÉ) pour nos activités d'édition..

Révision linguistique: Corinne De Vailly
Conception et mise en pages: Andréa Joseph [PageXpress]
Graphisme de la couverture: Christian Campana
Photo de l'auteur: Alain Comtois

Distribution au Canada:
Québec-Livres, 2185, autoroute des Laurentides, Laval (Québec) H7S 1Z6
Téléphone: (450) 687-1210 • Télécopieur: (450) 687-1331

Distribution en France:
Casteilla/Chiron, 10, rue Léon-Foucault, 78184 Saint-Quentin-en-Yvelines
Téléphone: (33) 1 30 14 19 30 • Télécopieur: (33) 1 34 60 31 32

Distribution en Belgique:
Diffusion Vander, avenue des Volontaires, 321, B-1150 Bruxelles
Téléphone: (32-2) 761-1216 • Télécopieur: (32-2) 762-1213

Distribution en Suisse:
Diffusion Transat s.a., route des Jeunes, 4 ter, C.P. 1210, 1211 Genève 26
Téléphone: (022) 342-7740 • Télécopieur: (022) 343-4646

Les Éditions LOGIQUES
Division des Éditions Quebecor Média Inc.
7, chemin Bates, Outremont (Québec) H2V 4V7
Téléphone: (514) 270-0208 • Télécopieur: (514) 270-3515

Agenda Le Jour du Seigneur 2004

© Les Éditions LOGIQUES inc., 2003
© Société Radio-Canada, 2003
Dépôt légal: troisième trimestre 2003
Bibliothèque nationale du Québec
Bibliothèque nationale du Canada

ISBN 2-89381-899-4

RENSEIGNEMENTS PERSONNELS

CET AGENDA APPARTIENT À

....

(Si vous trouvez cet agenda,
auriez-vous l'amabilité de m'en aviser
au numéro de téléphone suivant: ....)

NOM:

ADRESSE:

EN CAS D'ACCIDENT, PRÉVENIR:

MÉDECIN TRAITANT:

DENTISTE:

PHARMACIE:

ALLERGIES:

GROUPE SANGUIN:

2004

Janvier

D	L	M	M	J	V	S
				1	2	3
4	5	6	7	8	9	10
11	12	13	14	15	16	17
18	19	20	21	22	23	24
25	26	27	28	29	30	31

Février

D	L	M	M	J	V	S
1	2	3	4	5	6	7
8	9	10	11	12	13	14
15	16	17	18	19	20	21
22	23	24	25	26	27	28
29						

Mars

D	L	M	M	J	V	S
	1	2	3	4	5	6
7	8	9	10	11	12	13
14	15	16	17	18	19	20
21	22	23	24	25	26	27
28	29	30	31			

Avril

D	L	M	M	J	V	S
				1	2	3
4	5	6	7	8	9	10
11	12	13	14	15	16	17
18	19	20	21	22	23	24
25	26	27	28	29	30	

Mai

D	L	M	M	J	V	S
						1
2	3	4	5	6	7	8
9	10	11	12	13	14	15
16	17	18	19	20	21	22
23	24	25	26	27	28	29
30	31					

Juin

D	L	M	M	J	V	S
		1	2	3	4	5
6	7	8	9	10	11	12
13	14	15	16	17	18	19
20	21	22	23	24	25	26
27	28	29	30			

Juillet

D	L	M	M	J	V	S
				1	2	3
4	5	6	7	8	9	10
11	12	13	14	15	16	17
18	19	20	21	22	23	24
25	26	27	28	29	30	31

Août

D	L	M	M	J	V	S
1	2	3	4	5	6	7
8	9	10	11	12	13	14
15	16	17	18	19	20	21
22	23	24	25	26	27	28
29	30	31				

Septembre

D	L	M	M	J	V	S
			1	2	3	4
5	6	7	8	9	10	11
12	13	14	15	16	17	18
19	20	21	22	23	24	25
26	27	28	29	30		

Octobre

D	L	M	M	J	V	S
					1	2
3	4	5	6	7	8	9
10	11	12	13	14	15	16
17	18	19	20	21	22	23
24	25	26	27	28	29	30
31						

Novembre

D	L	M	M	J	V	S
	1	2	3	4	5	6
7	8	9	10	11	12	13
14	15	16	17	18	19	20
21	22	23	24	25	26	27
28	29	30				

Décembre

D	L	M	M	J	V	S
		1	2	3	4	
5	6	7	8	9	10	11
12	13	14	15	16	17	18
19	20	21	22	23	24	25
26	27	28	29	30	31	

2005

Janvier

D	L	M	M	J	V	S
						1
2	3	4	5	6	7	8
9	10	11	12	13	14	15
16	17	18	19	20	21	22
23	24	25	26	27	28	29
30	31					

Février

D	L	M	M	J	V	S
		1	2	3	4	5
6	7	8	9	10	11	12
13	14	15	16	17	18	19
20	21	22	23	24	25	26
27	28					

Mars

D	L	M	M	J	V	S
		1	2	3	4	5
6	7	8	9	10	11	12
13	14	15	16	17	18	19
20	21	22	23	24	25	26
27	28	29	30	31		

Avril

D	L	M	M	J	V	S
					1	2
3	4	5	6	7	8	9
10	11	12	13	14	15	16
17	18	19	20	21	22	23
24	25	26	27	28	29	30

Mai

D	L	M	M	J	V	S
1	2	3	4	5	6	7
8	9	10	11	12	13	14
15	16	17	18	19	20	21
22	23	24	25	26	27	28
29	30	31				

Juin

D	L	M	M	J	V	S
			1	2	3	4
5	6	7	8	9	10	11
12	13	14	15	16	17	18
19	20	21	22	23	24	25
26	27	28	29	30		

Juillet

D	L	M	M	J	V	S
					1	2
3	4	5	6	7	8	9
10	11	12	13	14	15	16
17	18	19	20	21	22	23
24	25	26	27	28	29	30
31						

Août

D	L	M	M	J	V	S
	1	2	3	4	5	6
7	8	9	10	11	12	13
14	15	16	17	18	19	20
21	22	23	24	25	26	27
28	29	30	31			

Septembre

D	L	M	M	J	V	S
				1	2	3
4	5	6	7	8	9	10
11	12	13	14	15	16	17
18	19	20	21	22	23	24
25	26	27	28	29	30	

Octobre

D	L	M	M	J	V	S
						1
2	3	4	5	6	7	8
9	10	11	12	13	14	15
16	17	18	19	20	21	22
23	24	25	26	27	28	29
30	31					

Novembre

D	L	M	M	J	V	S
		1	2	3	4	5
6	7	8	9	10	11	12
13	14	15	16	17	18	19
20	21	22	23	24	25	26
27	28	29	30			

Décembre

D	L	M	M	J	V	S
				1	2	3
4	5	6	7	8	9	10
11	12	13	14	15	16	17
18	19	20	21	22	23	24
25	26	27	28	29	30	31

En hommage
à tous ceux et celles qui depuis 50 ans ont mis leur compétence
au service de l'émission,
ceux et celles qui ont ouvert les portes de leur église
et partagé leur foi,
ceux et celles qui, par leur fidélité,
sont devenus la communauté des ondes,
des Amis du Jour du Seigneur...

50 ans de célébration collective

La Télévision de Radio-Canada est fière d'unir les francophones dans la célébration de leur foi depuis maintenant 50 ans. Diffusé à partir de toutes les régions du Québec et du Canada, **Le Jour du Seigneur** invite non seulement son public à partager le service dominical, mais aussi les traditions d'une multitude de paroisses, tout en faisant mieux connaître la beauté et la diversité de notre patrimoine religieux.

Au fil des semaines, **Le Jour du Seigneur** associe régulièrement les téléspectateurs à des moments importants pour de nombreux fidèles: anniversaire d'une paroisse ou d'une église, célébration eucharistique liée à un festival ou à un événement d'importance, messe thématique ou autre. On souligne de plus le sens de chaque célébration dans le cours de l'année liturgique.

Réalisant la fusion des valeurs les plus profondes et du pouvoir de la télévision, **Le Jour du Seigneur** a suscité une véritable communauté des ondes. Sa tradition est le reflet d'une ferveur partagée par les participants, les téléspectateurs et tous ceux et celles qui font vivre cette émission d'un océan à l'autre.

Nous sommes heureux de vous compter au sein de cette grande famille.

Le vice-président principal de la Télévision française

Le *Prions en Église* a toujours été un fidèle compagnon de l'émission *Le Jour du Seigneur*. Nous y retrouvons régulièrement l'annonce de nos rendez-vous hebdomadaires et une description de la communauté qui nous reçoit. Le 1er octobre 1978, le réalisateur André Simard signe un texte sur la messe télévisée.

LE JOUR DU SEIGNEUR
Eucharistie télévisée à Radio-Canada

Sait-on que l'auditoire du «Jour du Seigneur» est de 350 000 personnes chaque dimanche: soit 5 fois le Stade olympique, 16 fois le Colisée de Québec, ou 50 fois le Centre Georges Vézina de Chicoutimi!

La Société Radio-Canada présente chaque semaine quatre émissions à caractère religieux: «Second Regard» (magazine d'information); «Rencontres» (émission de culture religieuse; «L'Évangile en papier» (fantaisie éducative) et «Le Jour du Seigneur», célébration eucharistique très engagée au plan de la foi.

DES COMMUNAUTÉS VIVANTES

Les caméras et les micros ne font qu'amplifier ce qui se déroule dans la vie, pour le meilleur et pour le pire! C'est pourquoi nous choisissons avec soin la communauté qui «passera» à «Jour de Seigneur». Nous veillons à la qualité de la célébration: lieu de culte, célébrant, animateurs et participation de la foule. Il faut sentir une communauté vivante, heureuse de communiquer sa foi et son esprit de louange aux milliers de téléspectateurs.

Cette émission a été comparée à une «cathédrale des ondes» où l'Église universelle, en quelque sorte, célèbre le Seigneur.

VÉRITÉ DE LA CÉLÉBRATION

La messe télévisée est l'expression de la vie d'une communauté. Une messe inventée de toutes pièces pour les besoins de l'émission risquerait fort de sonner faux.

C'est pourquoi nous attendons du célébrant qu'il porte un message du plus profond de sa vie; des lecteurs, qu'ils proclament une Parole en laquelle ils croient; des chanteurs et instrumentistes, qu'ils n'aient pas le souci premier de se donner en spectacle…

ÉDUCATION DE LA FOI

«Le Jour du Seigneur» est beaucoup plus qu'une émission de télévision: elle est Parole de Dieu et Présence du Christ et, en ce sens, peut être considérée comme un lieu privilégié d'éducation de la foi, et ce message passera tout autant par la beauté des symboles et lieux de culte, que par l'harmonie et la vérité des chants et des diverses proclamations.

André Simard
Réalisateur du «Jour du Seigneur» 1978

La messe télédiffusée depuis un studio de Radio-Canada, en 1973, à Montréal. Le père Émile Legault préside la célébration animée par des musiciens et chanteurs professionnels.

En 1970, l'abbé Yvon Hubert préside la célébration en studio. François Dompierre a régulièrement collaboré aux arrangements musicaux et à l'animation, sur des chants composés par l'abbé Hubert, notamment.

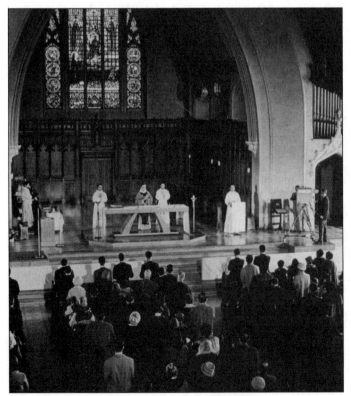

De 1960 à 1968, la messe fut présentée depuis la chapelle du Collège Saint-Laurent, à Ville Saint-Laurent dans le diocèse de Montréal.

C'est à compter de l'été 1972 que le père Émile Legault a apporté une contribution qui aura marqué définitivement la présentation de la messe à Radio-Canada. Sa participation au Concile a donné un souffle neuf à la présence religieuse dans les médias.

11

DÉCEMBRE

LUNDI **29**

MARDI **30**

MERCREDI **31**

JANVIER

Sainte Marie, Mère du Seigneur.
Premier jour de l'année 2004.
Journée mondiale de la Paix.

JEUDI **1er**

Un nouveau chemin s'ouvre à nous. Nous n'en connaissons pas tous les détours. Nous le plaçons sous la bénédiction du Père. Et nous ouvrons notre cœur à l'Espérance.

Nous en ferons un chemin de conversion, de service et d'amitié.

Bénir, c'est dire du bien de quelqu'un, dire de belles et bonnes choses.

Basile le Grand (329-379)

VENDREDI **2**

Moine, évêque, théologien, docteur de l'Église, pasteur et homme d'action, il contribua au développement du monachisme. Il était ami de Grégoire de Naziance.

MA SEMAINE EN UN CLIN D'ŒIL:

C'est le 24 décembre 1953, un an seulement après l'avènement de la télévision à Montréal, que Radio-Canada transmettait pour la première fois un office religieux catholique à l'auditoire de CBFT, en télédiffusant la messe de minuit célébrée au forum de Montréal par le cardinal Paul-Émile Léger.

JANVIER

SAMEDI 3

Geneviève (420-500)

Patronne de Paris. Elle sauve la ville de la famine en organisant le ravitaillement, et fait preuve de courage devant Attila.

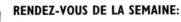

RENDEZ-VOUS DE LA SEMAINE:

√

√

√

√

JANVIER

ÉPIPHANIE

La manifestation de la Lumière aux nations

C'est à nous d'être les médiateurs, à nous d'être le sacrement visible de cette Présence réelle du Seigneur parmi nous. Le chrétien est celui qui poursuit l'incarnation dans sa vie, c'est celui qui, sans parler de Dieu, sans avoir besoin d'en parler tout au moins, est lui-même parole de Dieu parce que vivant de la vie de Dieu. Respirant la Présence de Dieu, il porte en lui ce témoignage qui est son existence même. Il ouvre par sa seule présence un espace de lumière et d'amour.

Paroisse Saint-Sébastien, Ottawa
Président de l'assemblée: Michel Bouffard, prêtre

L'homélie actualise la Parole de Dieu

Ce que la Parole m'inspire pour ce Jour du Seigneur…

JANVIER

LUNDI 5

Jean Neumann (1801-1860)
Né près de Prague. Expatrié en Amérique. Devient Rédemptoriste. Premier évêque de Philadelphie.

MARDI 6

Frère André (1845-1937)
Religieux de Sainte-Croix, il sera portier pendant près de 40 ans. Fondateur de l'Oratoire Saint-Joseph. Il avait le charisme de guérison.

MERCREDI 7

Raymond de Penyafort (1175-1275)
Dominicain, il incite ses frères religieux à apprendre l'Arabe et à étudier le Coran pour dialoguer avec les musulmans.

JANVIER

Apollinaire († 180) JEUDI **8**

Evêque d'Hiéraple en Phrygie, il fit l'apologie du
christianisme auprès de l'empereur Marc-Aurèle
qui, pour un temps, arrêta les persécutions.

Alix Le Clerc (1576-1622) VENDREDI **9**

Fondatrice, à Nancy (France), avec saint Pierre
Fourier d'une congrégation d'éducatrices.

MA SEMAINE EN UN CLIN D'ŒIL:

La deuxième messe télédiffusée à l'antenne de Radio-Canada: le 18 avril 1954.

«Dimanche, le 18 avril, les écrans de CBFT s'animeront dès 11 h du matin, afin
de permettre aux téléspectateurs d'observer les cérémonies de la grand-messe
de Pâques qui sera télévisée pour la première fois de l'église N.-D. de
Montréal.»

La Semaine à Radio-Canada, vol IV, n° 29

JANVIER

SAMEDI **10**

Grégoire X (1210-1276)

Pape, il tint le Concile de Lyon (1274) pour la réconciliation entre Grecs et Latins.

RENDEZ-VOUS DE LA SEMAINE:

√

√

√

√

JANVIER

BAPTÊME DU SEIGNEUR

Nous avons certes peu de difficultés à comprendre que le baptême soit pour nous une dignité, qu'il nous rend fils et filles de Dieu, membres de l'Église, Corps du Christ, héritiers de tous les biens de son Royaume. Mais avons-nous réellement saisi que le baptême nous engage à vivre à la suite de Jésus «comme Jésus»? Et comme Jésus en recevant le baptême de Jean Baptiste, nous, en renouvelant les promesses de notre baptême, nous nous disposons à accueillir les signes que Dieu nous envoie et à accomplir le plus parfaitement possible la volonté du Père qui se traduit par et dans l'amour, la charité, la miséricorde et le pardon.

13 janvier 2002
Saint-Joachim, Pointe-Claire
Président de l'assemblée: Jean Boyer, prêtre

L'homélie actualise la Parole de Dieu

Ce que la Parole m'inspire pour ce Jour du Seigneur...

JANVIER

LUNDI 12

Marguerite Bourgeoys (1620-1770)

Elle ouvre la première école de Ville-Marie (Montréal) en 1658 et fonde, en 1671, une communauté de religieuses non cloîtrées, les Sœurs de la Congrégation de Notre-Dame.

MARDI 13

Hilaire de Poitiers (315-368)

Il était marié lorsqu'il fut élu évêque de Poitiers vers 350. Théologien sur la Trinité et la Divinité de Jésus.

MERCREDI 14

Bienheureux Pierre Donders (1809-1887)

Missionnaire au Surinam, ce prêtre hollandais fut l'apôtre des esclaves des plantations, puis des lépreux de Batavia (Djakarta).

JANVIER

Remi († 530)

JEUDI **15**

Évêque de Reims (France), il baptise en 498 le roi Clovis et trois mille de ses soldats. La cathédrale de Reims lui est dédiée.

Marcel († 309)

VENDREDI **16**

Premier pape après les persécutions, il a été condamné à l'exil par l'empereur Maxence. Il était considéré comme un martyr.

MA SEMAINE EN UN CLIN D'ŒIL:

Le dimanche 30 mai 1954, une grande messe pontificale célébrée à l'Oratoire Saint-Joseph du Mont-Royal souligne les 25 ans de sacerdoce du cardinal Paul-Émile Léger.

Toujours au même endroit, le 13 mai 1979, Le Jour du Seigneur célèbre le cinquantième anniversaire de sacerdoce du cardinal.

JANVIER

SAMEDI 17

Antoine le Grand (251-356)

Le père des moines d'Orient et d'Occident. Géant de la sainteté, il fut promoteur d'une joyeuse confiance en Dieu.

RENDEZ-VOUS DE LA SEMAINE:

√

√

√

√

JANVIER

2ᵉ DIMANCHE TEMPS ORDINAIRE

Il existe dans le monde un homme parfaitement bon: le Christ, notre frère! Lui, il se donne totalement: «Ceci est mon Corps livré pour vous»! Par son Église, Il continue de répandre son Esprit pour prolonger en nous et par nous cette bonté. Il veut nous associer à lui-même; grâce à une communion avec Lui, Il nous met au travail pour promouvoir la vie et la santé, pour enrayer la misère et les influences du péché.

11 février 1996
Hôpital de Saint-Boniface, Saint-Boniface, Manitoba
Mᵍʳ Antoine Hacault

L'homélie actualise la Parole de Dieu

Ce que la Parole m'inspire pour ce Jour du Seigneur…

_____

_____

_____

_____

_____

_____

_____

JANVIER

LUNDI 19

Knut (Canut) († 1086)

Ce roi du Danemark fut assassiné pendant qu'il priait à l'église.

MARDI 20

Fabien († 250)

Fabien est laïc quand il est élu pape en 236. (20ᵉ pape) Il meurt martyr sous l'empereur Dèce.

MERCREDI 21

Agnès († 306)

Romaine, martyre. En sa fête, la laine de deux agneaux est coupée pour confectionner les *pallium* (symbole d'autorité).

JANVIER

Vincent († vers 305)

Premier martyr espagnol, il avait été ordonné diacre de l'évêque de Saragosse. Patron des vignerons.

Barnard (778-842)

Officier à la cour de Charlemagne. Après sept ans de mariage, en accord avec sa conjointe, il entra chez les bénédictins. Il devint archevêque de Vienne, en Isère.

MA SEMAINE EN UN CLIN D'ŒIL:

C'est le 31 octobre 1954 que la messe sera présentée pour la première fois du Grand Séminaire de Montréal. Radio-Canada s'y installera pour plusieurs années, en fait jusqu'en juin 1960. C'est à partir de l'automne 1956 que les présentations sont davantage régulières, chaque dimanche, sauf l'été.

JANVIER

SAMEDI **24**

François de Sales (1567-1622)
Evêque de Genève, docteur de l'Église. Il fonda l'ordre de la Visitation avec Jeanne de Chantal. Patron de la presse.

RENDEZ-VOUS DE LA SEMAINE:

√

√

√

√

JANVIER

3ᵉ DIMANCHE TEMPS ORDINAIRE

«Unité Chrétienne»

Le chemin vers l'Unité parfaite entre tous les Chrétiens... risque d'être long et difficile mais nous avons la possibilité d'apprendre à vivre ensemble et à nous aimer tout en marchant vers la rencontre que Dieu ne manquera pas de nous préparer: c'est même chose faite depuis bien longtemps. Mais en attendant soyons des passionnés de la recherche de l'Unité tant souhaitée par le Christ, cette Unité a coûté cher, elle n'en est que plus précieuse.

21 janvier 1990
Église Unie, Montréal
Président de l'assemblée: pasteur Jacques Labadie

L'homélie actualise la Parole de Dieu

Ce que la Parole m'inspire pour ce Jour du Seigneur...

_____

_____

_____

_____

_____

_____

JANVIER

LUNDI 26

Timothée et Tite (Ier siècle)

En Asie mineure (Turquie). Évêques formés par Paul. Le premier fut doux et calme; le second fut bon négociateur entre les communautés.

MARDI 27

Angèle Mérici (1474-1540)

Elle est la fondatrice des Ursulines, dévouées à l'éducation des jeunes filles.

MERCREDI 28

Thomas d'Aquin (1225-1274)

Le plus grand théologien de l'âge d'or de la scolastique. Il mourut en route vers le Concile de Lyon.

JANVIER

Gildas († 570)

Écossais, surnommé «Le Sage», il est l'auteur d'un ouvrage sur l'histoire de l'Angleterre. Il fonda des couvents en Irlande et dans le Morbihan (Bretagne).

Bathilde († 680)

Anglo-saxonne, vendue par des pirates, contrainte d'épouser le débauché Clovis II. Devenue régente, à la mort de celui-ci, elle lutta contre la simonie et l'esclavage.

MA SEMAINE EN UN CLIN D'ŒIL:

Le 24 décembre 1955, Mgr Gustave Prévost, des Missions Étrangères, présidait la messe de minuit du Grand Séminaire de Montréal. *Le Jour du Seigneur* aura le bonheur de le retrouver le 28 janvier 1995, 40 ans plus tard, alors qu'il présidait l'eucharistie à la chapelle de sa Société, à Pont-Viau.

Il arrivait sporadiquement que la messe sorte de l'enceinte du Grand Séminaire, pour des célébrations spéciales ou bien pour célébrer les offices de la Semaine sainte. C'est ainsi que le 21 avril 1957, la messe de Pâques provenait de l'église St-Joseph à Ottawa.

JANVIER

SAMEDI 31

Jean Bosco (1815-1888)
Fondateur des Salésiens et des sœurs de Marie Auxiliatrice. Grand apôtre de la jeunesse.

RENDEZ-VOUS DE LA SEMAINE:

√

√

√

√

FÉVRIER

4ᵉ DIMANCHE TEMPS ORDINAIRE

«Unité des chrétiens»

Vivre l'amour fraternel, c'est d'abord accepter les gens tels qu'ils sont. Nous ne devons passer aucun jugement, car juger les autres, c'est se mettre à la place de Dieu, et c'est aussi se permettre de faire fructifier ce qui est faux et mal. C'est encourager la violence, la torture, la souffrance, la soif du pouvoir et ainsi, c'est dégrader l'humanité toute entière.

24 janvier 1993
Saint-Georges, Montréal
Présidente de l'assemblée: Rév. Jacqueline Frioud

L'homélie actualise la Parole de Dieu

Ce que la Parole m'inspire pour ce Jour du Seigneur...

31

FÉVRIER

LUNDI 2

Présentation de Jésus au Temple
Une prescription de la loi de Moïse. À Marie et Joseph, le vieillard Syméon prophétise les événements de la Passion.

MARDI 3

Blaise (316)
Arménien, il était médecin. Évêque de Sébaste. On l'invoque pour les maux de gorge.

MERCREDI 4

Véronique
La femme qui essuya avec un voile le visage du Christ, couvert de sang. Véronique signifie Vraie image.

FÉVRIER

Agathe († 251)
Jeune Sicilienne persécutée à Dèce en 251. Spécialement invoquée lors des éruptions de l'Etna.

JEUDI **5**

Paul Miki et ses compagnons († 1597)
En février 1597, 26 chrétiens furent crucifiés à Nagasaki (Japon); des religieux japonais tels que Paul Miki et 17 laïcs dont 3 jeunes de 11 à 15 ans.

VENDREDI **6**

MA SEMAINE EN UN CLIN D'ŒIL:

_____

_____

_____

_____

C'est en 1959 qu'a été présentée la première messe en studio, à l'occasion du dimanche des moyens de diffusion. De 1959 à 1961, on réalisa quelques messes sous forme de reportage. De 1960 à 1968, la messe sera présentée de la chapelle du Collège Saint-Laurent.

FÉVRIER

SAMEDI 7

Eugénie Smet (1825-1881)
Encouragée par le curé d'Ars, elle fonda les sœurs Auxiliatrices du Purgatoire.

RENDEZ-VOUS DE LA SEMAINE:

√

√

√

√

FÉVRIER

5e DIMANCHE DU TEMPS ORDINAIRE

Il n'est pas facile pour nous de reconnaître le Ressuscité sur la route de nos vies. Mais une chose est sûre: c'est là que Jésus se trouve. Sur notre chemin. Et il marche avec nous. Il nous rejoint là où nous sommes. Des événements suscitent de la joie? Il y est présent. Des situations nous font souffrir? Il est là. On a des questions, des doutes, des certitudes? Il est là. Il marche avec nous; on le voit sûrement, mais ce n'est pas évident qu'on peut le reconnaître.

Seul le Seigneur lui-même est capable d'ôter le voile de nos yeux. C'est Jésus seul qui peut ouvrir mes yeux, mon intelligence et mon cœur à sa personne et à son message.

21 avril 1996
Paroisse Très-Saint-Nom-de-Jésus, Montréal
Président de l'assemblée: Mgr André Rivest

L'homélie actualise la Parole de Dieu

Ce que la Parole m'inspire pour ce Jour du Seigneur…

FÉVRIER

LUNDI 9

Apolline († 249)

Martyrisée après qu'on lui a brisé les dents et la mâchoire. Elle est invoquée contre les maux de dents.

MARDI 10

Scolasthique († 547)

Sœur de saint Benoit. Mère spirituelle des moniales bénédictines. Vécut au pied du mont Cassin.

MERCREDI 11

Notre Dame de Lourdes

Journée mondiale des personnes malades.

En 1858, la Vierge s'est présentée comme l'Immaculée conception, à Bernadette.

FÉVRIER

Saturnin († 304)
Avec une cinquantaine de chrétiens de Carthage,
il est arrêté pendant l'office du dimanche.

JEUDI **12**

Polyeucte († 250)
En Arménie, à Mélitène, il fait face au martyre.
Immortalisé par la tragédie de Corneille.

VENDREDI **13**

MA SEMAINE EN UN CLIN D'ŒIL:

En temps de Concile et d'après Concile, en ces années 60 à 68, la messe télévisée a présenté l'aspect d'un laboratoire de recherche liturgique. Les messes célébrées au Collège Saint-Laurent se voulaient exemplaires et ont grandement contribué au renouveau liturgique de Vatican II.

FÉVRIER

SAMEDI **14**

Valentin († 269)
Deux Valentins sont martyrs au IIIe siècle. Le Moyen Âge célèbre Valentin comme patron des amoureux.

RENDEZ-VOUS DE LA SEMAINE:

√

√

√

√

FÉVRIER

6e DIMANCHE DU TEMPS ORDINAIRE

Aimer les ennemis, ce n'est pas naturel, cela nous dépasse; ce n'est pas humain, c'est divin. C'est pour cela que le Seigneur nous demande de prier. Prier pour que notre prière change leur cœur. La personne blessante est souvent blessée, elle a besoin de remettre son cœur à l'endroit. C'est le pardon qui guérit les cœurs, et de l'offenseur, et de l'offensé. Prier pour que notre cœur retrouve la paix, qu'il devienne capable de passer par-dessus l'offense et qu'au lieu de s'enfoncer dans la haine, il s'abîme dans le pardon.

22 février 1998
Saint-Sacrement, Vancouver, C.-B.
Président de l'assemblée: Benoît Laplante, prêtre

L'homélie actualise la Parole de Dieu

Ce que la Parole m'inspire pour ce Jour du Seigneur…

FÉVRIER

LUNDI **16**

Julienne († 305)

Elle a contesté l'ordre social qui obligeait une jeune fille à se marier. Son vœu de virginité l'a conduite au martyre.

MARDI **17**

Sept fondateurs des Servites (XIIIe siècle)

Sept commerçants de Florence qui consacrèrent leur vie à Dieu, serviteurs de la Vierge Marie. De là le nom Servites.

MERCREDI **18**

Bernadette Soubirous (1844-1879)

À «Massabielle», en 1858, la Vierge demanda à Bernadette de creuser le sol.... et de l'eau jaillit. Un haut lieu de pèlerinage.

FÉVRIER

Boniface (1182-1260)

JEUDI **19**

Ardent prédicateur de l'Évangile. Reconnu comme un saint de son vivant. Il fut évêque de Bruxelles.

Eleuthère († 531)

VENDREDI **20**

Il vécut à Tournai (Belgique). Il était ami de saint Médard et du roi Chilpéric.

MA SEMAINE EN UN CLIN D'ŒIL:

C'est le 2 décembre 1962 que l'on adopte pour la première fois le titre *Le Jour du Seigneur*. Il sera conservé jusqu'à nos jours, à l'exception d'une éclipse, l'émission ayant été présentée, pendant la saison 1968-1969, sous le titre *Le 8e Jour*.

FÉVRIER

SAMEDI **21**

Pierre Damien (1007-1072)

Moine camaldule. Le meilleur auxiliaire des papes réformateurs du XIe siècle. Conseiller des empereurs.

RENDEZ-VOUS DE LA SEMAINE:

√

√

√

√

FÉVRIER

7ᵉ DIMANCHE DU TEMPS ORDINAIRE

Si le Christ a été ressuscité, c'est parce qu'il a accepté de se donner entièrement, par amour. Rien n'est plus fécond que l'amour. L'amour n'est jamais stérile, il porte toujours des fruits. Jésus nous enseigne comment l'amour peut transfigurer une vie… ressusciter un être.

Jésus, lui, était le signe par excellence de l'amour de Dieu pour nous les humains. Saint Paul écrit aux Romains que Dieu nous a tout donné par amour. Il a donné ce qu'il avait de plus précieux, son Fils unique. Il ne pouvait nous donner rien de plus. C'était lui-même qui se donnait dans le don de son Fils. Nous découvrons là le signe de la puissance et de la profondeur de son amour. Saint Jean l'affirmait ainsi: «Dieu a tant aimé le monde, qu'il a donné son Fils unique».

23 février 1997
Sainte-Cécile, Charlesbourg
Président de l'assemblée: Clément-Marie Duquet

L'homélie actualise la Parole de Dieu

Ce que la Parole m'inspire pour ce Jour du Seigneur…

_____

_____

_____

_____

_____

FÉVRIER

LUNDI 23

Polycarpe (70-167)

Évêque de Smyrne en Turquie. Disciple de l'apôtre Jean et maître de saint Irénée. Martyrisé au nom de sa foi.

MARDI 24

Serge (XIVe siècle)

Deux martyrs et un pape ont porté ce nom d'origine occidentale. Au XIVe siècle, l'Église d'Orient célèbre Sergios.

MERCREDI 25

Mercredi des cendres

La parole qui accompagne l'imposition des cendres: «Souviens-toi que tu es poussière et que tu retourneras en poussière.»

FÉVRIER

Porphyre (347-420)

JEUDI **26**

Évêque de Gaza en Palestine, il lutte contre les attaques des hérétiques. Une vie irradiante de foi.

Gabriel (1838-1862)

VENDREDI **27**

François Possenti, jeune mondain, se convertit devant une icône de Marie. Il prit le nom de Gabriel et s'engagea à vivre la sainteté.

MA SEMAINE EN UN CLIN D'ŒIL:

22 septembre 1963: messe pour souligner le dimanche des techniques de diffusion. La messe est célébrée dans le grand studio 42 de l'époque. Elle est présidée par le père Aurèle Séguin, dominicain, autrefois membre de la direction de Radio-Canada.

FÉVRIER

SAMEDI 28

Daniel Brottier (1876-1936)

Aumonier militaire, il consacre la fin de sa vie à l'œuvre des orphelins apprentis d'Auteuil. On le surnommait: «le père des orphelins».

RENDEZ-VOUS DE LA SEMAINE:

√

√

√

√

FÉVRIER

PREMIER DIMANCHE DU CARÊME

Le service est pour nous tous la forme la plus percutante et efficace pour faire taire les résistances, la plus douce et la plus respectueuse pour rendre compte de notre Espérance.

Le service demeure la plus grande preuve pour un monde qui ne voit pas Dieu et qui ne le connaît pas, de le découvrir et de le connaître à travers des visages d'hommes, de femmes et d'enfants qui s'engagent en son nom.

C'est à travers des gestes du quotidien, tant de fois répétés avec respect et douceur que notre monde s'étonne que le Christ demeure vivant auprès de nous et en nous.

12 mai 1996
Saint-Elzéar, Saint-Elzéar-de-Beauce
Président de l'assemblée: Conrad Poulin, prêtre

L'homélie actualise la Parole de Dieu

Ce que la Parole m'inspire pour ce Jour du Seigneur...

47

MARS

LUNDI 1er

Aubin († 550)

Évêque, sa priorité d'action pastorale était la sanctification des familles.

MARDI 2

Catherine Drexel (1858-1955)

Fille de banquier, elle fonde aux États-Unis. une congrégation de religieuses missionnaires consacrées au service des Amérindiens et des Noirs américains. Elle a été canonisée en 2000.

MERCREDI 3

Guénolé (461-532)

Fonde la plus ancienne abbaye de Grande-Bretagne. Avec les moines, il fut un défricheur du pays.

MARS

Casimir (1458-1484)

Prince de Pologne surnommé le «prince de la paix». Patron de la Pologne et de la Lituanie.

Jean-Joseph de la Croix (1654-1734)

Il vécut à Naples. Charles Gaétan le fit franciscain; il mena son existence dans une extrême pauvreté, mais aussi dans une grande bonté.

MA SEMAINE EN UN CLIN D'ŒIL:

C'est en 1969 que la messe sera télévisée pour la première fois durant l'été. En 1971, elle sera télédiffusée du Cap-de-la-Madeleine, et réalisée par la station de Trois-Rivières. En 1972, *Le Jour du Seigneur* estival sera réalisé en studio à Sherbrooke.

MARS

SAMEDI 6

Colette (1381-1447)

Réformatrice des monastères de Clarisses. Elle plaide auprès des autorités civiles pour réduire les effets du schisme d'Occident.

_____

_____

_____

_____

_____

_____

_____

_____

_____

_____

RENDEZ-VOUS DE LA SEMAINE:

√

√

√

√

MARS

2e DIMANCHE DU CARÊME

Quand des tempêtes traversent nos vies, quand la maladie et la mort s'approchent de nous, quand les liens d'amour nous déçoivent, quand l'injustice, la violence et la guerre nous effraient, quand la tentation devient grande de chercher refuge dans n'importe quoi, surtout dans le découragement et l'abandon, où trouvons-nous le courage de relever la tête, de reprendre la route, d'avancer?

Les moments de clarté dans nos vies sont comme les phares qui indiquent la route, qui rappellent les forces qui nous habitent: force d'aimer, d'espérer, de croire.

Jésus, par son existence, se propose à nous comme un Chemin possible dans la recherche du bonheur. Il est la promesse de Dieu.

30 novembre 1997
Chapelle du couvent La Résurrection des Franciscains, Montréal
Président de l'assemblée: Luc Laurence, prêtre

L'homélie actualise la Parole de Dieu

Ce que la Parole m'inspire pour ce Jour du Seigneur...

_____

_____

_____

_____

_____

MARS

LUNDI 8

Jean de Dieu (1495-1550)
Bouleversé par un sermon de Jean d'Avila, il se voua au service des malades et fonda l'ordre des Frères hospitaliers, dit «de Saint-Jean-de-Dieu».

MARDI 9

Françoise Romaine (1384-1440)
En 1425, elle fonda la congrégation des Oblates bénédictines, alliant la spiritualité monastique à la vie séculière. Elle est la patronne de Rome.

MERCREDI 10

Vivien († 310)
Martyr célèbre dans l'Église arménienne. Tué avec un groupe de quarante soldats chrétiens.

MARS

Sophrone (550-638)
Patriarche de Jérusalem, il négocia sa reddition
en 636 et obtint d'Omar la liberté religieuse et
civile des chrétiens.

JEUDI **11**

Louis Orione (1870-1949)
Missionnaire au Brésil, il fonda cinq congrégations
pour venir en aide aux démunis. Il a été déclaré
bienheureux.

VENDREDI **12**

MA SEMAINE EN UN CLIN D'ŒIL:

L'année 1971 marque une étape importante. *Le Jour du Seigneur* est présenté uniquement en reportage. On reprendra l'expérience l'année suivante. Mais de 1973 à 1975, question de voir quelle formule doit s'imposer, on revient en studio. C'est le père Émile Legault qui anime ces émissions.

Le 17 septembre 1972, messe pour quelques athlètes aux Jeux olympiques de Munich. C'est une première expérience internationale pour *Le Jour du Seigneur*. Le père Legault, présentateur, est sur place avec une petite équipe d'Ottawa.

MARS

SAMEDI **13**

Agnello de Pise (1194-1232)
Il fonde le premier couvent franciscain de Paris et établit une école de théologie à Oxford.

RENDEZ-VOUS DE LA SEMAINE:

√

√

√

√

MARS

3e DIMANCHE DU CARÊME

On se questionne beaucoup aujourd'hui sur la foi. Pour certains, c'est du passé… pour d'autres, de la magie, pour d'autres une rencontre, une ouverture du cœur dans la liberté à un Jésus qui fait route avec nous afin de nous guider… dans la lumière et la paix.

La foi est un dynamisme pour l'être humain. Elle nous aide à relire notre vie différemment; elle nous aide à lutter contre le mal et la mort; elle ouvre des brèches dans les murs qui nous encerclent, nous écrasent, pour trouver un peu de lumière que Dieu donne et envoie.

26 octobre 1997
Maison Jésus-Ouvrier, Québec
Président de l'assemblée: Jacques Letarte, o.m.i.

L'homélie actualise la Parole de Dieu

Ce que la Parole m'inspire pour ce Jour du Seigneur…

MARS

LUNDI 15

Louise de Marillac (1591-1660)

L'initiatrice, en 1633, de la congrégation des «Filles de la Charité», les sœurs de saint Vincent de Paul.

MARDI 16

Bénédicte (1214-1260)

Clarisse de Saint-Damien, elle succède, en 1253, à sainte Claire.

MERCREDI 17

Patrick (385-461)

Moine, il parcourt l'Irlande pour prêcher le christianisme. Il est le patron des Irlandais.

MARS

Cyrille de Jérusalem (315-386)
Évêque, défenseur de la divinité du Christ. Ses catéchèses demeurent fondamentales.

JEUDI **18**

Joseph, patron du Canada
Époux de Marie et gardien du Fils du Très-Haut. L'Église le reconnaît comme le Patron des travailleurs. Les Récollets, en 1624, le célèbrent en tant que protecteur spécial du Canada.

VENDREDI **19**

MA SEMAINE EN UN CLIN D'ŒIL:

Le 22 octobre 1972, *Le Jour du Seigneur* est à Tuktoyaktuk, tout près d'Inuvik, dans les Territoires du Nord-Ouest. Pour la célébration d'un baptême. Le 25 février 1990, la messe provenait d'Igloolik, de la paroisse Saint-Étienne.

MARS

SAMEDI 20

Cuthbert († 687)
Ermite anglais. Il habitait une île, dans le Cumberland. Il avait une activité apostolique débordante.

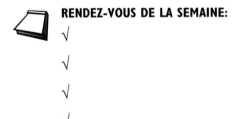

RENDEZ-VOUS DE LA SEMAINE:

√

√

√

√

MARS

4ᵉ DIMANCHE DU CARÊME

Frères et sœurs, nous sommes tous appelés à monter avec Jésus sur la montagne pour nous laisser transformer par l'expérience de sa transfiguration. Nous sommes tous appelés à découvrir le mystère de la personne de Jésus, à nous laisser illuminer et transformer par la profondeur de sa lumière. Chacune de nos célébrations où le pain de la parole de Dieu nous est partagé, où le pain de vie nous est donné, nous découvre le mystère de Jésus et nous transfigure pour que nous devenions nous aussi les témoins de sa Parole dans notre monde, les témoins de son Amour pour chacun et chacune d'entre nous.

16 mars 2003
Chapelle Kermaria, Filles de Jésus, Trois-Rivières
Président de l'assemblée: Mᵍʳ Martin Veillette

L'homélie actualise la Parole de Dieu

Ce que la Parole m'inspire pour ce Jour du Seigneur...

_____

_____

_____

_____

_____

MARS

LUNDI 22

Zacharie (VIIIe siècle)
D'origine grecque, il fut élu pape en 741. Il convoqua un Concile au Latran.

MARDI 23

Victorien († 484)
Proconsul de Carthage, il refusa l'édit d'Hunéric obligeant de passer à l'arianisme. Il mourut dans les tourments.

MERCREDI 24

Catherine de Suède (1330-1381)
Fonde à Rome l'Ordre du saint Sauveur. À sa mort, elle était abbesse d'un monastère en Suède.

MARS

L'Annonciation

L'ange Gabriel annonce à Marie qu'elle sera la mère du Sauveur. Neuf mois avant Noël, l'Église célèbre l'incarnation du Fils de Dieu.

Ludger († 809)

Il fut formé en Westphalie à l'école de saint Grégoire d'Utrecht. Il devint le premier évêque du Munster (Allemagne).

MA SEMAINE EN UN CLIN D'ŒIL:

Le Jour du Seigneur se rendra en Afrique, une première fois en novembre 1972, au Cameroun. Tout dépaysait dans une liturgie absolument inculturée. Une messe aux accents d'une liberté que préconisait la grande réforme liturgique de Vatican II.

MARS

SAMEDI **27**

François Faa di Bruno (1825-1888)
Enseigna 40 ans à l'Université de Turin. Fonda la congrégation des Sœurs Minimes de Notre-Dame-du-Suffrage.

RENDEZ-VOUS DE LA SEMAINE:

√

√

√

√

MARS

5e DIMANCHE DU CARÊME

Ils sont nombreux ceux et celles qui ont perdu par la mort un être cher, nombreux ceux et celles qui furent tirés de la chaleur et de la confiance d'une maison, d'une amitié! Nous qui sommes d'ici et d'ailleurs Jésus nous dit aujourd'hui: «Je suis la résurrection et la vie». Nombreux sont les tombeaux dans notre société où logent l'incertitude, l'angoisse, les préjugés de toutes sortes et les refus de redresser la tête. Devant tant d'impasses et de petites morts la tentation est facile de démissionner. Cependant aux cœurs avertis, tout tournés vers la Parole de Dieu, il y a cette belle certitude qui rappelle ce nom merveilleux: Lazare: c'est-à-dire DIEU-AIDE. Voilà où Jésus attire et conduit. Voilà où on le rejoint. «La voix du Seigneur a été entendue par Lazare à travers la pierre: Qu'elle pénètre nos cœurs de pierres». (saint Augustin PI35, 1578)

28 mars 1993
Sainte-Germaine, Lac Etchemin
Président de l'assemblée: André Poulin, prêtre

L'homélie actualise la Parole de Dieu

Ce que la Parole m'inspire pour ce Jour du Seigneur…

_____

_____

_____

_____

MARS

LUNDI 29

Joseph d'Arimathie
Il déposa le corps de Jésus dans le tombeau qu'il s'était fait tailler dans le roc.

MARDI 30

Jean Climaque (v. 525-v. 605)
Passa sa vie de moine à expérimenter diverses formes de vie monastique, au mont Sinaï. Il était surnommé Climax (Échelle de Dieu).

MERCREDI 31

Guy († 1046)
Fils de riche famille, il se fit pauvre et vécut dans un ermitage, à Rome. Fut moine de l'abbaye de Pomposa.

AVRIL

Hugues (1053-1132)
Évêque de Grenoble à l'âge de 27 ans. Il travailla à la réforme du clergé. Il fut canonisé deux ans après sa mort.

JEUDI 1er

François de Paule (1416-1507)
Il se fit ermite en réaction devant le luxe des gens d'Église. Il appela ses disciples Minimes. Il était thaumaturge.

VENDREDI 2

MA SEMAINE EN UN CLIN D'ŒIL:

Plusieurs fois dans son histoire, *Le Jour du Seigneur* a présenté la célébration des sacrements de la vie chrétienne. Et ce 27 mai 1973, Mgr Bernard Hubert, alors évêque de Saint-Jérôme, présidait le sacrement de confirmation à l'église Saint-Julien de Lachute.

Le journal *Circuit fermé du 27 juin 1979*, (organe du personnel de Radio-Canada) publiait en pages centrales, un grand reportage sur l'émission *Le Jour du Seigneur* présente à l'Oratoire Saint-Joseph, le 13 mai 1979, pour télédiffuser la célébration du 50e anniversaire de sacerdoce du cardinal Paul-Émile Léger. Il est bon de remarquer qu'un Service des émissions religieuses existait, à ce moment-là, à Radio-Canada.

UNE SUPER-PRODUCTION DES ÉMISSIONS RELIGIEUSES

Dans le cadre de l'émission *Le Jour du Seigneur*, le service des Émissions religieuses de Radio-Canada diffusait, le 13 mai dernier, la cérémonie marquant le 50e anniversaire de sacerdoce du cardinal Paul-Émile Léger et sa dernière visite au Canada.

L'enregistrement de cette célébration, qui a eu lieu à l'Oratoire Saint-Joseph, s'est déroulée dans des conditions assez exceptionnelles. «Nous ne devions rien laisser au hasard, souligne le réalisateur, André Simard», car il n'était pas question de faire des reprises: l'émission était diffusée en direct.

L'Oratoire, on s'en doute, représentait le lieu idéal pour un rassemblement de cette envergure: outre les 13 500 fidèles et prélats, de nombreuses personnalités du monde politique assistaient à la cérémonie, notamment MM. Jean Drapeau, Marc Lalonde, Jean Laurin et Claude Ryan. Soit disant passant, la messe du dimanche à Radio-Canada attire chaque semaine quelque 400 000 téléspectateurs, soit de quoi remplir 5 fois et demie le Stade olympique. Qui plus est, la série *Jésus de Nazareth*, diffusée au printemps dernier, a donné lieu à une importante relance des émissions religieuses; en effet, 2,7 millions de personnes ont alors suivi ces émissions soit autant que lors de l'atterrissage sur la Lune en 1969. C'est tout dire!

UNE ÉQUIPE DE SPÉCIALISTES

Pour assurer le succès de cette émission, notre réalisateur s'était entouré d'une véritable équipe d'experts dans leurs domaines respectifs. «L'ampleur même de ce projet nous a amenés à faire appel aux services d'une quarantaine de personnes et a nécessité la mise en place d'un matériel considérable», fait remarquer M. Simard.

Tout d'abord, l'architecture de l'Oratoire: sur le plan du son, les techniciens ont dû faire de 12 à 15 prises différentes pour assurer un bon rendement et contre l'écho, la réverbération et la distorsion dans cette vaste enceinte.

Côté lumière, les techniciens ont littéralement «inventé» un éclairage propice à l'enregistrement de ce genre de cérémonie et il leur aura fallu trois jours pour le mettre au point.

«Outre les 130 000 watts que nous fournissait l'Oratoire, nous avons utilisé un puissant générateur qui nous donnait 100 000 watts supplémentaires», précise M. Simard. Fait intéressant à noter, ce pouvoir de 230 000 équivaut à la consommation maximale possible au studio 42 de la SRC, à Montréal.

De plus, il a fallu mettre en place des dispositifs tout à fait spéciaux notamment des tours tubulaires, communément appelées «sarnias», pour installer l'équipement.

Au total, plusieurs centaines de pieds de câble ont servi à relier les six caméras au car de reportage dont 450 pieds uniquement pour la caméra installée au jubé.

Notre dernière visite à l'Oratoire remontait à 1966 et la couverture d'alors avait été faite en noir et blanc, fait remarquer André Simard: «Cette fois, nous avons établi deux précédents puisque c'était la toute première fois que nous diffusions une émission en couleur à partir de cet endroit et que nous utilisions un car de reportage.»

Et puisqu'à cette époque de l'année, une partie de l'équipe technique diffusait les dernières joutes de hockey de la saison, il a fallu partager le personnel et l'équipement avec le Forum, en plus de louer du matériel à l'extérieur et d'en emprunter à la station de Toronto.

Bien sûr, les téléspectateurs n'auront sans doute pas manqué de remarquer l'excellente qualité des images: «Sur le plan de la conception visuelle, l'apport des caméramen est des plus importantes, car ce sont eux qui établissent la justesse du cadrage et de la construction des images.»

Cette émission est donc le fruit des efforts conjugués d'un groupe de personnes toutes plus indispensables les unes que les autres. «Leur collaboration ne saurait être sous-estimée, ajoute André Simard: «Les membres de l'équipe ont pris un plaisir évident à relever le défi, chacun dans son domaine respectif, et nous étions tout dépendants les uns des autres.

Au fait, qui a dit qu'une chaîne n'est jamais meilleure que le plus faible de ses maillons?»

Jean-Maurice Faucher, directeur technique, et André Simard réalisateur.

AVRIL

SAMEDI **3**

Richard de Wyche (1197-1253)

Après des études à Oxford, il devint chancelier d'Edmond de Canterbury. Évêque contre le gré de Henri III, il vécut à la campagne avec un de ses curés.

RENDEZ-VOUS DE LA SEMAINE:

√

√

√

√

AVRIL

DIMANCHE DES RAMEAUX ET DE LA PASSION

Nous voulons tous être heureux ici-bas et éternellement. Comme Jésus-Christ est le seul à nous éclairer vraiment sur Dieu et sur notre destinée ultime, en cette Année Sainte, renouvelons-lui notre attachement indéfectible et approfondissons le mystère de sa personne et son message. Lui seul est Parole vivante du Père, lui seul a les paroles de la vie éternelle. Notre monde rêve d'unité de paix. Cela est impossible sans venir au Christ, Lumière des nations. Vivons pleinement les valeurs de l'Évangile et nous serons à notre tour lumière dans notre famille, dans notre milieu de travail, dans notre quartier. Nous travaillerons ainsi avec le Christ à recréer le monde, à le rendre plus humain, plus juste et plus fraternel.

2 avril 2000
Cathédrale de Saint-Jérôme, Saint-Jérôme
Président de l'assemblée: André Daoust, prêtre

L'homélie actualise la Parole de Dieu

Ce que la Parole m'inspire pour ce Jour du Seigneur…

AVRIL

LUNDI 5

Vincent Ferrier (1350-1419)

Prédicateur itinérant au XVᵉ siècle. Il protégea des musulmans et des juifs contre les persécutions. Instigateur d'une confrérie de pénitents.

MARDI 6

Marcellin († 413)

De Carthage, en Tunisie. Il fut chargé par l'empereur de régler un différend entre catholiques et donatistes. Accusé à tort de complot, il fut décapité.

MERCREDI 7

Mercredi saint

Dans plusieurs diocèses, l'évêque consacre les huiles pour les sacrements (le Saint Chrème, l'huile des malades et l'huile des catéchumènes).

AVRIL

Jeudi saint

JEUDI **8**

Rappelle l'institution de l'Eucharistie marquée par le lavement des pieds. C'était l'exemple de service que Jésus voulait rendre à ses disciples.

Vendredi saint

VENDREDI **9**

Vers trois heures, ce vendredi-là, Jésus crucifié entre deux bandits, est mort sur la croix. Il n'y a pas de messe, aujourd'hui dans les églises du monde; mais, une liturgie de la passion et du chemin de croix.

MA SEMAINE EN UN CLIN D'ŒIL:

De septembre 1973 à juin 1974, *Le Jour du Seigneur* revient à la formule studio, avec alternance de présidents d'assemblée et un groupe de foyers de Saint-Léonard. François Dompierre est directeur musical. Il dirige un chœur de 30 voix et compose des musiques originales.

AVRIL

SAMEDI **10**

Samedi saint

C'est le jour du silence et de l'attente. Lorsque débute la nuit, les chrétiens se rassemblent pour la veillée pascale qui ouvre à l'annonce de la résurrection.

RENDEZ-VOUS DE LA SEMAINE:

√

√

√

√

AVRIL

PÂQUES

«Pâques»

À la suite de tous les croyants qui nous ont précédés, depuis les apôtres, nous pouvons proclamer que Jésus est vivant, qu'il est ressuscité. Cette fête de Pâques, cette veille annuelle, nous invite à trouver et à reconnaître dans nos vies et autour de nous la présence du Christ ressuscité.

Dieu a voulu habiter notre histoire, ce n'est pas pour la quitter que le Père accepte la mort de son Fils, mais pour Lui permettre d'être définitivement présent. Il l'a ressuscité. C'est à nous, éclairés par son Esprit, de découvrir et de reconnaître les signes de sa présence dans notre histoire personnelle et collective.

25 mars 1989
Sainte-Suzanne-de-Pierrefonds, Pierrefonds
Président de l'assemblée: Michel Bouchard, prêtre

L'homélie actualise la Parole de Dieu

Ce que la Parole m'inspire pour ce Jour du Seigneur…

AVRIL

LUNDI 12

Jules († 352)

Successeur du pape saint Marc. Il lutta contre l'hérésie arienne qui niait la Trinité et la divinité de Jésus. Il fit construire l'église des Douze Apôtres, à Rome.

MARDI 13

Martin Ier

Pape en 649, il convoqua un Concile au Latran pour condamner les opinions de l'empereur Constantin II sur le Christ. Il fut arrêté puis emprisonné à Constantinople.

MERCREDI 14

Bénézet (1165-1184)

Jeune berger d'Avignon, en France. On lui attribue la construction du célèbre pont sur le Rhône.

AVRIL

César de Bus (1544-1607)

JEUDI **15**

Il se convertit sous l'influence conjuguée d'un sacristain et d'une mendiante. Il a fondé les Religieux de la Doctrine chrétienne, voués à l'enseignement des enfants pauvres.

Benoît Joseph Labre (1748-1783)

VENDREDI **16**

Une sorte d'inadapté social, vivant comme un misérable. Passant sa vie en pèlerinage, il est surnommé le «vagabond de Dieu». Il mourut à Rome, dans le lit du boucher qui l'avait hébergé.

MA SEMAINE EN UN CLIN D'ŒIL:

Le 25 août 1974, monsieur le cardinal Maurice Roy préside un grand rassemblement des *JEUNES DU MONDE* au Colisée de Québec. D'une certaine façon, cet événement s'inscrit au cœur de la Super franco-fête, qui rassemble dans la musique, la danse des jeunes de partout.

AVRIL

SAMEDI 17

Katéri Tekakwitha (1656-1680)

De la tribu des Mohawks, Katéri était tournée en dérision parce qu'elle s'était faite chrétienne. Avec trois autres Amérindiens, elle se joignit à la colonie catholique de Sault-Saint-Louis où elle fit le vœu de virginité. Elle est morte à 24 ans, emportée par la tuberculose.

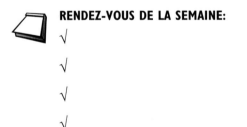

RENDEZ-VOUS DE LA SEMAINE:

√

√

√

√

AVRIL

DIMANCHE DE LA MISÉRICORDE

 «Pâques»

Christ est vivant! Christ est ressuscité!

Cette annonce de Pâques résonne au-delà de nos murs, au-delà des frontières du son et de l'image. Oui, cette nouvelle bouleversante franchit le temps, l'espace. Elle s'offre au plus intime du cœur humain comme une flamme dansante dans l'obscurité, comme une joyeuse espérance qui donne réconfort, élan et sens à nos vies, à toute vie!

Christ est vivant! Christ est ressuscité!

Cette lumière d'espérance dans la nuit, c'est auprès d'elle que nous trouvons la source, le fondement, les racines de ce que nous sommes, comme humains et comme croyants.

14 avril 1990
Sainte-Catherine-Labouré, LaSalle
Président de l'assemblée: Paul Delorme, prêtre

L'homélie actualise la Parole de Dieu

Ce que la Parole m'inspire pour ce Jour du Seigneur…

AVRIL

LUNDI 19

Léon IX (1002-1054)

Brunon, un Alsacien, fut nommé pape par l'empereur d'Allemagne Henri III. Il exigea une élection en bonne et due forme, qu'il remporta. Il fut un réformateur du clergé et de la vie monacale.

MARDI 20

Anicet († 166)

Pape de 155 à 166. Il discuta avec saint Polycarpe pour établir la date de Pâques.

MERCREDI 21

Anselme (1033-1109)

Né en Italie, il est élu archevêque de Canterbury, en Angleterre, en 1093. Son enseignement théologique fait date dans l'histoire.

AVRIL

Agapit Ier († 536)

JEUDI **22**

Vécut à Constantinople. Pour éviter les représailles des Goths, ce pape entreprit un humiliant voyage auprès de Justinien.

Georges († vers 303)

VENDREDI **23**

Martyrisé à Lydda, en Palestine, en 303. Les Orientaux l'appellent «le Grand Martyr». Constantin fit ériger une église à Constantinople en son honneur. Il devint une figure liée à la légende de la princesse et du dragon.

MA SEMAINE EN UN CLIN D'ŒIL:

Présence protestante au *Jour du Seigneur* pour une des premières fois: le 24 février 1974, à l'église presbytérienne Saint-Luc à Montréal. Présences plus tard de l'Église Unie, de l'Église Luthérienne et de quelques églises de la communion anglicane.

Le 27 février 1977, premier dimanche du Carême, *Le Jour du Seigneur* aura le bonheur de présenter une célébration de la Parole présidée par Dom Elder Camara, archevêque de Recife au Brésil. L'événement se passait au Complexe Desjardins. Au cœur de la cité, prier pour la paix…

AVRIL

SAMEDI **24**

Marie-Euphrasie Pelletier (1796-1868)
À 29 ans, elle fonde L'Asile du Bon Pasteur d'Angers. Une division de son institut, «Les Madeleines» était consacrée aux orphelines et aux filles sans dot.

RENDEZ-VOUS DE LA SEMAINE:

√

√

√

√

AVRIL

3e **DIMANCHE DE PÂQUES**

Sans doute, la foi apporte aux personnes croyantes une aide importante pour redonner un sens à la vie. Cependant, lorsqu'on a à faire face subitement à une épreuve cruelle, il est compréhensible qu'on ait de la difficulté à croire à un «bon» Dieu qui veut le bonheur de ses enfants. Même aux yeux de la foi, la souffrance n'est jamais souhaitable, elle n'est jamais un bien en elle-même, elle reste toujours une épreuve difficile à accepter.

La foi ne se vit pas seulement sur le plan de l'intelligence. Nous la vivons dans notre chair, avec notre sensibilité, avec tout ce que nous sommes. La personne qui souffre vit sa foi au milieu de sa souffrance. Sa souffrance ne peut avoir pour elle que le sens qu'elle lui donne, avec l'aide du Seigneur et de l'entourage dans lequel elle vit. La meilleure façon de donner un sens à sa souffrance est peut-être de s'ouvrir à d'autres réalités, de s'ouvrir aux autres et finalement à Dieu.

23 avril 1995
Saint-Louis-de-France, Québec
Président de l'assemblée: Mgr Maurice Couture, archevêque

L'homélie actualise la **Parole de Dieu**

Ce que la Parole m'inspire pour ce Jour du Seigneur…

_____

_____

_____

_____

AVRIL

LUNDI 26

Notre Dame du Bon Conseil

Elle fut vénérée pendant des siècles à Scutari, en Albanie. Lors de l'invasion des Turcs, son portrait fut transporté à Génazzano, en Italie. Elle y est toujours, parfaitement conservée.

MARDI 27

Zita (1218-1278)

Humble domestique au service d'une famille noble en Toscane. Elle avait une seule requête: aller à la messe tous les jours. Elle faisait preuve d'une grande charité envers les pauvres.

MERCREDI 28

Louis-Marie Grignion de Montfort (1673-1716)

Apôtre populaire au XVIIIe siècle, il a fondé les Pères Montfortains, les Filles de la Sagesse et les Frères de saint Gabriel. Son livre *La vraie dévotion à la Sainte Vierge* est demeuré l'un des chefs-d'œuvre de la littérature mariale.

AVRIL

Catherine de Sienne (1347-1380)
Dès l'âge de 16 ans, elle est admise dans le Tiers ordre des Dominicaines. Elle exercera une grande influence pour tirer le pape de son exil à Avignon. Elle est la première femme à avoir été déclarée Docteur de l'Église (en 1970).

JEUDI **29**

Marie de l'Incarnation (1599-1672)
Née à Tours, en France. Elle fonde le premier monastère d'Ursulines en Amérique. Mystique et éducatrice, elle est considérée comme la Thérèse du Nouveau-Monde

VENDREDI **30**

MA SEMAINE EN UN CLIN D'ŒIL:

Le 19 octobre 1975, dimanche de la Propagation de la foi, Mgr Bernard Bududira, évêque de Bururi au Burundi préside l'Eucharistie en l'église de Cap-Rouge dans le diocèse de Québec.

MAI

SAMEDI 1er

Joseph le Travailleur

Fête établie au Canada en 1955, un peu en contrepartie de la fête du Travail du mouvement communiste. On voulait une fête chrétienne pour vanter les vertus du travail.

RENDEZ-VOUS DE LA SEMAINE:

√

√

√

√

MAI

4e DIMANCHE DE PÂQUES

«Dimanche des vocations»

En ce dimanche des vocations, comme pasteur et évêque, j'aimerais parler à vous tous les jeunes qui êtes présents ou qui encore m'entendez par le truchement de la télévision. Je vous dis avec empressement et avec mon cœur d'évêque: regardez notre monde qui crie sa soif d'absolu. Regardez toutes ces personnes oubliées, abandonnées, bafouées. Qui va leur apporter une réponse? Pourquoi pas vous? Engagez-vous maintenant. Demain, il sera trop tard!

10 mai 1992
Sainte-Thérèse-de-l'Enfant-Jésus, Cowansville
Président de l'assemblée: Mgr Louis-de-Gonzague Langevin, M. Afr.

L'homélie actualise la Parole de Dieu

Ce que la Parole m'inspire pour ce Jour du Seigneur...

MAI

LUNDI 3

Philippe et Jacques († 62)

Deux apôtres de Jésus. Philippe venait de Bethsaïde; il annonça à Nathanael l'arrivée du Messie. Jacques le mineur était frère de Jude et cousin du Christ. Il fut évêque de Jérusalem.

MARDI 4

Marie Léonie Paradis (1840-1912)

Née à l'Acadie en 1840, près de Saint-Jean-de-Québec. Elle fonde les Petites Sœurs de la Sainte-Famille. Jean Paul II la béatifia en 1984.

MERCREDI 5

Judith († 1260)

Appelée aussi Jutta, elle est la patronne de la Prusse. À la fin de sa vie, elle se dévoue auprès des malades des Chevaliers Teutoniques.

MAI

François de Laval (1623-1708)
Premier évêque de Québec. Il établit les fondements de la jeune Église au Canada. Décédé en 1708, on l'a surnommé le père de l'Église canadienne.

JEUDI **6**

Jean d'Avila (1499-1569)
Surnommé le «Faucon de Dieu», il a fondé une quinzaine de collèges. L'un des grands mystiques et maîtres spirituels de l'Espagne.

VENDREDI **7**

MA SEMAINE EN UN CLIN D'ŒIL:

Il y aura aussi présence des églises orthodoxes au *Jour du Seigneur*, à quelques reprises, les orthodoxes roumains, comme en ce 22 février 1976. Et le 12 janvier 1992, c'est la célébration du Noël orthodoxe en l'église serbe de la Sainte-Trinité, à Montréal, toujours.

MAI

SAMEDI 8

Catherine de Saint-Augustin (1632-1668)

Venue en Nouvelle-France en 1650, elle fonde l'Hôtel-Dieu de Québec. Dévouée aux malades, elle connaîtra plusieurs expériences mystiques. Elle fut béatifiée le 23 avril 1989.

_____

_____

_____

_____

_____

_____

_____

_____

_____

_____

 RENDEZ-VOUS DE LA SEMAINE:

√

√

√

√

MAI

5ᵉ DIMANCHE DE PÂQUES

Fêtes des mères

Jésus nous dit: Restez calmes, sereins. Libérez-vous dans les couches profondes de votre âme, respirez l'air pur qui vient du large. Ne vous laissez pas impressionner par les maladies nouvelles, ni par les morts nombreuses et souvent brutales qui sévissent aujourd'hui dans vos villes et vos campagnes. Soyez sans crainte. Vous qui marchez avec moi, que peuvent-elles contre vous les forces des ténèbres? «Je suis avec vous jusqu'à la fin des temps». Laissons-nous convaincre par Jésus.

2 mai 1999
Cathédrale d'Abidjan, Côte d'Ivoire
Président de l'assemblée: Mᵍʳ Bernard Agre, archevêque

L'homélie actualise la Parole de Dieu

Ce que la Parole m'inspire pour ce Jour du Seigneur…

MAI

LUNDI 10

Fête du sacrifice d'Abraham

L'islam rappelle comment Abraham, sur l'ordre de Dieu ne sacrifia pas son fils Isaac, mais égorgea un mouton. Le lieu du sacrifice est vénéré dans la grande Mosquée d'Omar à Jérusalem.

MARDI 11

Cyrille (827-869) et Méthode (825-885)

Ils traduisirent pour les besoins de leur apostolat la Bible et les livres liturgiques en langue slave. Cyrille aurait créé un alphabet approprié.

MERCREDI 12

Pancrace († vers 305)

Il a connu la célébrité auprès de ses contemporains de Rome parce qu'il avait connu le martyre alors qu'il était encore tout jeune.

MAI

Notre Dame de Fatima   JEUDI **13**

En 1917, au Portugal, la Vierge confie à trois enfants, Lucie, Jacinthe et François, un message de prière et de pénitence. Ces pastoureaux ont été béatifiés le 13 mai 2000 par Jean Paul II. (Le 13 mai 1981, attentat contre Jean Paul II.)

Matthias (Ier siècle)   VENDREDI **14**

Il remplaça Judas parmi les apôtres. Sa fête est en lien avec l'Ascension, car les Actes disent que Matthias a suivi Jésus de son baptême jusqu'à son ascension.

MA SEMAINE EN UN CLIN D'ŒIL:

Le 22 octobre 1978, Radio-Canada présente la messe inaugurale du Pontificat de Jean-Paul II. Les occasions seront nombreuses par après de présenter des messes de Saint-Pierre de Rome. Très souvent le matin de Pâques jusqu'à ces dernières années. Mais *Le Jour du Seigneur* est maintenant fidèle à présenter la bénédiction Urbi et Orbi.

MAI

SAMEDI 15

Achille († 530)

Évêque de Larissa (Grèce). En 978, des chrétiens bulgares transportèrent ses reliques à Bresbo, qui prit, dès lors, le nom d'Achilli.

RENDEZ-VOUS DE LA SEMAINE:

√

√

√

√

MAI

6e DIMANCHE DE PÂQUES

L'amour a les yeux clairs, quand il est solidement enraciné dans un cœur ardent. Il voit ce que d'autres ne voient pas. Il ressent ce que d'autres ne ressentent pas. Pour discerner le Christ présent au long de nos jours, la foi est certes nécessaire, mais l'amour l'est aussi, et tout autant. Croire au Christ c'est aussi l'aimer.

Comme pour l'apôtre Pierre qui se laisse «éclairer» par le disciple que Jésus aimait, il arrive aussi que dans nos vies, nous avons parfois besoin qu'un croyant, qu'une croyante à côté de nous, nous aide à ouvrir les yeux du cœur et à reconnaître la présence du Ressuscité. En ce sens, on peut dire que nous ne sommes pas chrétiens tout seuls. Nous avons besoin de la communauté pour nous dire la présence de Dieu-avec-nous. Et la communauté a besoin de nous pour «reconnaître» le Ressuscité.

29 avril 2001
Sainte-Famille, Cap Santé
Président de l'assemblée: Onil Godbout, prêtre

L'homélie actualise la Parole de Dieu

Ce que la Parole m'inspire pour ce Jour du Seigneur…

MAI

LUNDI 17

Pascal Baylon (1540-1592)

Simple berger, illettré, il devint moine franciscain vers 1564. Son amour de l'Eucharistie lui a valu d'être proclamé patron des congrès et des œuvres eucharistiques, par Léon XIII, en 1897.

MARDI 18

Jean Ier († 526)

Pape, il se rendit à Constantinople pour négocier la paix et préciser sa doctrine sur la divinité de Jésus. Le roi arien Théodoric le jeta en prison où il mourut de faim.

MERCREDI 19

François Coll (1812-1875)

Dominicain en Espagne, il se fit missionnaire populaire et développa la spiritualité du Rosaire. Il fonda les Religieuses de l'Annonciation.

MAI

Bernardin de Sienne (1380-1444)

JEUDI **20**

Moine franciscain au XVe siècle. La dévotion du Saint nom de Jésus qu'il répandit, lui valut des ennuis avec l'Inquisition. On l'a surnommé: «l'étoile de la Toscane».

Eugène de Mazenod (1782-1961)

VENDREDI **21**

Au lendemain de la Révolution française, il mit sur pied une équipe de missionnaires populaires: les Oblats de Marie-Immaculée. Il a été évêque de Marseille. Canonisé le 3 décembre 1995.

MA SEMAINE EN UN CLIN D'ŒIL:

Le 28 octobre 1979: un grand événement pour le Québec. C'est l'ouverture officielle, en présence de René Lévesque, du gigantesque barrage LG-2, à Radisson, Baie-James. *Le Jour du Seigneur* est là. Plusieurs travailleurs se réunissent au gymnase pour une messe d'action de grâce.

MAI

SAMEDI 22

Jeanne-Antide Thouret (1765-1826)

Née à Besançon, elle devint orpheline à 15 ans. Pendant la révolution, elle ouvrit une classe et cacha des prêtres non jureurs. Elle organisait des «bouillons pour les pauvres».

_____

_____

_____

_____

_____

_____

_____

_____

_____

_____

 RENDEZ-VOUS DE LA SEMAINE:

√

√

√

√

MAI

DIMANCHE **23**

ASCENSION

«Demeurez dans mon amour, dit Jésus. Si vous êtes fidèles à mes commandements, vous demeurez dans mon amour, comme moi j'ai gardé fidèlement les commandements de mon Père, et je demeure dans son amour. Je vous ai dit cela pour que ma joie soit en vous et que vous soyez comblés de joie.»

Vivre de la joie, de la vrai joie, c'est important. Nous sommes tous à la recherche de cette sérénité. La joie fait partie de la vie chrétienne. Et Jésus nous donne la source de cette sérénité: c'est l'amour. À chacun de découvrir comment vivre cet amour aujourd'hui.

27 mai 2000
Sainte-Ursule, Sainte-Foy
Président de l'assemblée: Jean-Marc Demers, prêtre

L'homélie actualise la Parole de Dieu

Ce que la Parole m'inspire pour ce Jour du Seigneur...

MAI

LUNDI 24

Louis-Zéphirin Moreau (1824-1901)
Originaire de Bécancour au Québec. Malgré une santé précaire, il devint évêque de Saint-Hyacinthe. Il fonda une société de secours mutuel à l'intention des travailleurs. Il fut béatifié par Jean Paul II, le 10 mai 1987.

MARDI 25

Bède le Vénérable (672-735)
Né près de l'abbaye de Wearmouth, en Angleterre, il passa sa vie dans un cloître. Il rédigea des commentaires de l'Écriture sainte.

MERCREDI 26

Philippe Néri (1515-1585)
Prêtre rempli d'humour et de zèle évangélique. Il a fondé une société de prêtres voués à la formation de la jeunesse. Il a popularisé à Rome, au XVIe siècle, la dévotion au Saint Sacrement.

MAI

Augustin de Canterbury († 605)

JEUDI **27**

Premier evêque d'Angleterre en 596. Il était Romain de Rome, compagnon de saint Grégoire le Grand au monastère bénédictin. C'est ce dernier qui lui confia la mission de l'Angleterre.

Thomas Cottam (1549-1582)

VENDREDI **28**

Formé au sacerdoce, à Douai, en France, avec un groupe de jeunes séminaristes anglais. À son retour en Angleterre, il pratiqua pendant cinq ans, puis fut arrêté et exécuté à Tyburn.

MA SEMAINE EN UN CLIN D'ŒIL:

L'Avent 1979 est célébré à la cathédrale d'Ottawa, sous la présidence de Mgr J.-Aurèle Plourde. Des assemblées de jeunes, de religieux et religieuses, de groupes de foyers, d'aînés se relaient d'un dimanche à l'autre. L'expérience sera renouvelée en 2002, avec Mgr Marcel A. Gervais.

MAI

SAMEDI 29

Joseph Gérard (1831-1914)

Originaire de Nancy, il devint Oblat de Marie Immaculée. Il missionna en Afrique. Au Lesotho, il est appelé le «Père de l'Église».

RENDEZ-VOUS DE LA SEMAINE:

√

√

√

√

MAI

PENTECÔTE

Rendons grâce au Seigneur qui nous invite à son repas. La puissance de son Esprit transforme le pain et le vin que nous apportons, fruit de la terre et du travail des hommes et des femmes. Nos yeux ne voient que du pain et que la coupe de vin. Mais dans la foi, ces signes, ces sacrements, nous disent que le Christ Jésus se donne à nous comme un pain nourrissant qui comble nos faims les plus tenaces et comme un bon vin qui apporte la vie et la joie de la grande fête qui nous attend. Oui, il est grand le mystère de la foi!

9 juin 1996
Chapelle du Séminaire, Ottawa
Président de l'assemblée: Normand Provencher, o.m.i.

L'homélie actualise la Parole de Dieu

Ce que la Parole m'inspire pour ce Jour du Seigneur...

MAI/JUIN

LUNDI 31

La Visitation

Marie, enceinte de Jésus, rend visite à sa cousine Elizabeth. Les mots de l'*Ave Maria* et du *Magnificat* résonnent encore chez les chrétiens, depuis cette rencontre.

MARDI 1er

Justin (100-166)

Arrêté pour délit d'opinion, le rescrit de Trajan lui offrit la vie sauve, s'il reniait sa foi. Sa réponse fut: «Quand on a trouvé la vérité, on y reste.»

MERCREDI 2

Eugène Ier († 657)

Élu pape sous la pression impériale, il se montra conciliant, mais remplit hautement sa fonction par la suite.

JUIN

Charles Lwanga et ses compagnons († 1886)

JEUDI **3**

Charles était responsable des pages du Roi, en Ouganda. Il catéchisa plusieurs des 22 martyrs qui ont témoigné de leur foi entre 1885 et 1887.

Clotilde (475-545)

VENDREDI **4**

Épouse de Clovis, roi des Francs, qu'elle convertit au christianisme. Elle se retire à Tours auprès du tombeau de saint Martin où elle meurt à 70 ans.

MA SEMAINE EN UN CLIN D'ŒIL:

4 mai 1980: grand rassemblement de groupes de foyers au pavillon de l'éducation physique et des sports de l'Université Laval à Québec (PEPS). On y est venu de toute la francophonie canadienne. C'est monsieur le cardinal Maurice Roy qui préside l'eucharistie pour *Le Jour du Seigneur*.

JUIN

SAMEDI 5

Boniface (680-754)
L'un des patrons de l'Église d'Angleterre. Il s'appliqua à la conversion des Saxons du Continent. Fondateur de plusieurs monastères, il réunira des synodes pour réformer l'Église franque.

RENDEZ-VOUS DE LA SEMAINE:
√
√
√
√

JUIN

TRINITÉ

Le Seigneur Jésus nous demande de nous reconnaître nous-mêmes comme nous sommes, avec nos qualités, nos capacités et aussi nos défauts: nos qualités et nos capacités pour les développer davantage et les mettre au service des autres et nos défauts, pour les corriger. Ça, c'est vraiment vivre le moment présent, le seul temps que l'on peut vivre pour être heureux, heureuses. Le passé: nous ne pouvons rien y faire, il n'est plus là: le futur : il n'est pas encore là, nous ne pouvons pas y vivre, nous ne pouvons que le préparer. Le seul moment où l'on peut vivre, c'est tout de suite au présent, en se confiant à ce Dieu Providence chez qui nous nous sentons accueillis et aimés.

2 septembre 2001
Notre-Dame-du-Mont-Carmel, Duhamel
Président de l'assemblée: Pierre Marois, prêtre

L'homélie actualise la Parole de Dieu

Ce que la Parole m'inspire pour ce Jour du Seigneur...

_____

_____

_____

_____

JUIN

LUNDI 7

Michel Febres (1854-1910)
Frère des Écoles chrétiennes, éducateur, il réforma les traditions pédagogiques de son pays, l'Équateur. Il est considéré comme un héros national.

MARDI 8

Maria Droste (1863-1899)
Elle quitta sa noblesse pour entrer chez les sœurs du Bon Pasteur. Elle œuvra au Portugal. Elle obtint du pape Léon XIII la consécration du monde au Sacré Cœur.

MERCREDI 9

Ephrem (306-373)
Surnommé la «lyre du Saint-Esprit». Syrien de naissance, il était diacre. Il écrivit plusieurs traités théologiques et spirituels.

JUIN

Bennon (1010-1106) **JEUDI 10**

Saxon, il fut évêque de Meissen près de Dresde. Il fut emprisonné sous Henri IV pour ne pas avoir appuyer la répression des Saxons. Il est le patron de la Bavière.

Barnabé (Ier siècle) **VENDREDI 11**

Homme plein de foi et rempli du Saint Esprit, il se porta garant de la sincérité de Saül, récemment converti. Il fut apôtre et compagnon de Paul dans ses voyages apostoliques.

MA SEMAINE EN UN CLIN D'ŒIL:

24 décembre 1980. Radio-Canada, pour une première fois, offre une messe en eurovision. En direct, de Sainte-Anne-de-Varennes, la messe de minuit est reprise en France, Belgique francophone et néerlandaise, Suisse francophone et italienne. C'est le Père Richard Guimond, o.p. qui prononce l'homélie.

JUIN

SAMEDI **12**

Guy Vignotelli († 1247)

François d'Assise reconnut chez lui tant de courtoisie qu'il l'invita à se joindre à ses compagnons pour témoigner de l'amour de Dieu envers les plus pauvres.

RENDEZ-VOUS DE LA SEMAINE:

√

√

√

√

JUIN

FÊTE DU SAINT-SACREMENT

La messe, c'est un repas de famille, que nous célébrons dans l'action de grâce. Le Christ s'attend à ce que nous mangions le pain qu'il nous offre et qu'en le mangeant nous proclamions sa mort, comme dit saint Paul: «Chaque fois que vous mangez ce pain… vous proclamez la mort du Seigneur jusqu'à ce qu'il vienne.»

Proclamer la mort du Christ, c'est l'annoncer comme une bonne nouvelle. C'est dire au monde: «Voyez! En acceptant de mourir, le Christ a vaincu la mort. Il est ressuscité!» C'est dire au monde: «Écoutez bien! La mort n'est pas le dernier mot de tout. Elle est, si l'on croit au Christ, un passage vers la vie.» Proclamer la mort du Christ, c'est plus que cela encore. C'est reconnaître et affirmer que, ce que le Christ a vécu, nous le vivrons nous aussi. C'est même s'engager dès maintenant à mettre ses pas dans les pas du Christ, à s'enfoncer dans une aventure semblable à la sienne: une aventure de mort et de vie, une aventure de mort pour vivre.

18 juin 1995
Saint-Épiphane, Saint-Épiphane
Président de l'assemblée: Jean-Guy Roy, prêtre

L'homélie actualise la Parole de Dieu

Ce que la Parole m'inspire pour ce Jour du Seigneur…

JUIN

LUNDI 14

Méthode († 847)

Il fut évêque de Constantinople où il convoqua un Concile pour réfuter l'iconoclasme et expliquer le culte des images.

MARDI 15

Germaine Cousin (1579-1601)

Fille d'un laboureur français et bergère, elle subit des sévices de sa belle-mère et fut découverte morte sous un escalier. Son corps fut trouvé parfaitement conservé dans le cimetière.

MERCREDI 16

Jean-François Régis (1597-1640)

L'un des plus grands prédicateurs du XVIIe siècle. Les paysans de la région du Rhône furent beaucoup influencés par l'œuvre de ce missionnaire jésuite.

JUIN

Rainier († 1160)

Troubadour italien renommé, un pèlerinage aux lieux saints le convainc de se faire pauvre. Il fut un bienfaiteur joyeux pour ses concitoyens.

Le Sacré-Cœur de Jésus

Le troisième vendredi après la Pentecôte, l'Église marque d'une fête spéciale la qualité du cœur de Jésus, «doux et humble de cœur».

MA SEMAINE EN UN CLIN D'ŒIL:

Le premier mars 1981, en l'église Saint-Louis-de-France à Montréal, l'abbé Paul Lebœuf préside une messe qu'il va lui-même *gestuer* pour les malentendants. On renouvellera l'expérience à quelques reprises. Mais souligons que *Le Jour du Seigneur* est sous-titré-codé depuis le 20 août 1989.

JUIN

SAMEDI 19

Romuald (950-1027)

Ce futur fondateur des Camaldules, pour concilier vie solitaire et vie commune, quitta l'aristocratie de Ravenne (Italie) pour un monastère bénédictin.

RENDEZ-VOUS DE LA SEMAINE:

√

√

√

√

JUIN

12ᵉ **DIMANCHE DU TEMPS ORDINAIRE**

Fêtes des pères

«Fête de la Saint-Jean-Baptiste»

Nous voulons nous affirmer et grandir collectivement, construire un milieu humain qui soit épanouissant pour tous, pour ceux qui sont enracinés ici depuis trois siècles comme ceux qui sont venus se joindre à nous avec leurs richesses culturelles propres, l'option à prendre est franche, même si elle est exigeante. Nous avons à contrer, avec les forces spirituelles dont nous disposons, les sources d'inquiétude qui sont germes de mort et à promouvoir les sources d'espérance qui sont germes de vie.

24 juin 1989
Saint-Jean-Baptiste, Montréal
Président de l'assemblée: Cardinal Paul Grégoire

L'homélie actualise la Parole de Dieu

Ce que la Parole m'inspire pour ce Jour du Seigneur...

115

JUIN

LUNDI 21

Louis de Gonzague (1568-1591)

Contre sa famille, il se fait jésuite à 16 ans. Il se dépensera auprès des malades atteints de la peste. En 1725, il est proclamé patron de la jeunesse.

MARDI 22

Thomas More (1478-1535)

Ce père de quatre enfants fut un grand politicien et un grand priant. Il sera exécuté pour son opposition à la prétention de Henri VIII à devenir le chef de l'Église d'Angleterre.

MERCREDI 23

Marie d'Oignies (1177-1213)

Elle et son mari ont soigné des lépreux dans leur maison de Nivelles. Elle deviendra recluse à Oignies.

JUIN

Jean Baptiste

JEUDI **24**

On l'appelle le « précurseur» parce qu'il précède Jésus; et le «Baptiste» parce qu'il baptise dans le Jourdain. Sa fête, au solstice d'été, rappelle sa parole: «Il faut que je décroisse pour qu'Il grandisse.»

(Fête des Canadiens français)

Prosper d'Aquitaine (390-455)

VENDREDI **25**

Laïc, il fut très proche de saint Hilaire et de saint Léon, dont il fut secrétaire. Sa vie matrimoniale a été exemplaire.

MA SEMAINE EN UN CLIN D'ŒIL:

Le Jour du Seigneur aime visiter les communautés catholiques de rite oriental. Le 26 avril 1981, il présentait l'intronisation de Mgr Michel Hakim, en l'église grecque melkite catholique Saint-Sauveur, rue Saint-Denis, à Montréal.

117

JUIN

SAMEDI **26**

Joseph Escriva de Balaguer (1902-1975)

Prêtre du diocèse de Saragosse, en Espagne, l'œuvre de sa vie est l'Opus Dei dont la devise est: «Sanctifier le travail, se sanctifier dans le travail et sanctifier les autres par le travail.» Jean Paul II l'a canonisé.

 RENDEZ-VOUS DE LA SEMAINE:

√

√

√

√

JUIN

13e DIMANCHE DU TEMPS ORDINAIRE

«Festival folklorique des enfants du monde»

Tel est l'accueil: découvrir l'autre comme personne humaine, avec ses richesses intérieures et ses besoins profonds, lui être attentif, lui apporter son aide, lui faire sentir qu'il a lui aussi quelque chose de valable à apporter.

Pour le chrétien, l'accueil est un test de son amour de Dieu. Car en se faisant accueillir, on risque de rencontrer Dieu: «En vérité, je vous le dis, dans la mesure où vous l'avez fait à l'un de ces petits de mes frères, c'est à moi que vous l'avez fait», nous dit Jésus. Alors, savons-nous accueillir comme lui? Gratuitement? De grand cœur?

27 juin 1999
Paroisse de la Nativité-de-Notre-Dame, Beauport
Président de l'assemblée: Gilles Quirion, prêtre

L'homélie actualise la Parole de Dieu

Ce que la Parole m'inspire pour ce Jour du Seigneur…

_____

_____

_____

_____

_____

JUIN

LUNDI 28

Irénée de Lyon (130-202)
Disciple de saint Polycarpe, il succéda à saint Pothin, à Lyon, en 177. Ses écrits, pour défendre sa foi, sur l'amour de Dieu pour l'homme et sur l'Eucharistie et le Christ, sont fondamentaux.

MARDI 29

Pierre et Paul († v. 64 et 67)
La basilique de Saint-Pierre a été édifiée sur le tombeau de Pierre, centre de la chrétienté. La basilique de Saint-Paul, hors les murs, est bâtie où Paul aurait été décapité au nom de sa foi.

MERCREDI 30

Les saints martyrs de Rome
Tous les chrétiens qui versèrent leur sang pendant les trois premiers siècles. Beaucoup sont morts sous Néron en 64, faussement accusés de l'incendie de Rome.

JUILLET

Nicodème l'Hagiorite (1749-1809) JEUDI **1er**

Né à Naxos, il passera sa vie au mont Athos. Son grand ouvrage, la «Philocalie» (cinq volumes) contient les plus belles pages de la spiritualité orientale. Canonisé en 1955 par le patriarche Athénagoras.

(Jour de la Confédération canadienne)

Marie-Thérèse Ledochowska (1863-1922) VENDREDI **2**

Influencée par le cardinal Lavigerie, cette noble Polonaise voue sa vie à l'apostolat en Afrique. Elle fonde *L'Écho d'Afrique* en 1890, et l'*Institut de Saint-Pierre-Claver*.

MA SEMAINE EN UN CLIN D'ŒIL:

Pour le Carême de 1982, *Le Jour du Seigneur* fait un tour des cathédrales. Québec d'abord, en la basilique, Saint-Hyacinthe, Gatineau-Hull, Trois-Rivières, Saint-Paul (Alberta) et Mont-Laurier. La montée pascale se termine par la Veillée pascale présidée par Mgr Paul Grégoire, à Montréal. Il donne le baptême à un catéchumène vietnamien.

En 1984, naît un feuillet d'accompagnement pour la messe télévisée. L'équipe de l'émission *Le Jour du Seigneur* y collabore, de même que le père Richard Guimond, l'animateur de l'émission radiophonique *Le matin de la fête*. Voici un texte d'André Daris, coordonnateur de la liturgie, soulignant le 30e anniversaire de la messe télévisée.

LA MESSE SUR LE CANADA... 30 ANS D'ÉMISSIONS!

UNE ÉMISSION POPULAIRE

En 30 années d'existence, depuis les messes célébrées dans les chapelles du Grand Séminaire de Montréal ou du Collège Saint-Laurent, en passant par les célébrations des studios de Radio-Canada, jusqu'à l'expérience actuelle d'une messe-reportage à travers tout le pays, le *Jour du Seigneur* n'a jamais dévié de son objectif du départ: celui de présenter d'authentiques communautés en prière et de former une grande assemblée des ondes. D'où, sans doute, sa très grande popularité. L'émission a permis à une portion du «peuple de Dieu» de s'exprimer et a favorisé la participation du «peuple» des téléspectateurs.

...QUI A DU SOUFFLE

«L'Eucharistie dominicale à la télévision est une des rares réalisations qui après tant d'années ne manque pas de souffle.» (Mgr Jean-Guy Couture, Chicoutimi). Ce qui explique sans doute ce phénomène, c'est que l'auditoire du *Jour du Seigneur* n'est pas un auditoire comme les autres. Il s'agit d'un «peuple» vivant, d'une multitude de personnes liées par le mystère de l'Eucharistie.

Cela réalise parfaitement le vœu des évêques canadiens. Qu'en accord et avec la Société Radio-Canada, on mette les ressources humaines et techniques de la télévision au service des communautés chrétiennes. Qu'on leur permette ainsi de vivre l'événement-Eucharistie au profit de la grande paroisse des ondes. Que l'émission apparaisse comme le reflet véritable, une photographie réelle d'un aspect original de la vie des communautés locales.

...QUI EST VRAI

C'est pourquoi l'on ne demande jamais à une communauté de bouleverser ses habitudes ou de se présenter d'une façon qui risquerait d'apparaître artificielle (ce n'est pas un «spectacle» que l'on présente), mais il faudra souvent consentir à certains compromis. Il y a des exigences d'ordre liturgique, il y a la présence du téléspectateur qui doit toujours se sentir «de l'assemblée», il y a enfin les exigences propres à la télévision.

Une assez longue expérience permet d'ajouter que les paroisses se montrent fort ouvertes et très conscientes du rôle qu'on leur demande de jouer. Elles n'hésitent pas, ordinairement, à se montrer particulièrement accueillantes. Et plusieurs d'entre elles tiennent à célébrer avec la Communauté du *Jour du Seigneur* les événements ou les anniversaires qui leur tiennent à cœur.

...QUI EST UNE FÊTE!

À cause de son caractère itinérant, le *Jour du Seigneur* provoque partout la fête. Chaque communauté y apporte son style et sa couleur propres, ses chants, ses décorations et son élan. Malgré son cadre apparemment rigide et sérieux, l'émission comporte une part d'imprévu et une profonde joie! C'est sans doute aussi une raison de sa popularité: qui refuserait une invitation à partager la fête?

André Daris, prêtre
Coordonnateur liturgique, 1985

Le 30e anniversaire de l'émission célébré dans la chapelle du Grand Séminaire de Montréal a permis de faire mémoire des années de complicité entre ce lieu historique et la présentation de la messe à la télévision de Radio-Canada. En effet, du 30 octobre 1954 à juin 1960, cette chapelle magnifique a ouvert ses portes aux téléspectateurs canadiens pour la messe dominicale.

Équipe de production de cette émission du 2 décembre 1984 soulignant le 30e anniversaire de la première messe télédiffusée au Canada.

Le père Émile Legault, durant sa participation à la messe télévisée, aura parcouru le pays entier pour la présentation des émissions. Il a rencontré des milliers de «paroissiens» de cette grande communauté des ondes dont il fut le pasteur, pour ne pas dire le «curé».

JUILLET

SAMEDI **3**

Samedi 3 juillet, Thomas (apôtre)

L'auteur de la belle profession de foi «Mon Seigneur et mon Dieu», est surtout connu pour son doute face à la Résurrection. Il sera évangélisateur des Mèdes et des Perses, puis de l'Inde.

_____

_____

_____

_____

_____

_____

_____

_____

_____

_____

RENDEZ-VOUS DE LA SEMAINE:

√

√

√

√

JUILLET

DIMANCHE **4**

14e DIMANCHE DU TEMPS ORDINAIRE

Dans le premier livre de Samuel, il est écrit: «Dieu ne regarde pas comme les hommes car les hommes regardent l'apparence, mais le Seigneur regarde le cœur.» L'Esprit de Dieu trouve dans notre cœur l'attitude du croyant qui accepte de faire les pas nécessaires pour s'engager à la suite de Jésus. Il ne s'agit pas seulement d'une pratique légaliste à l'Église mais bien d'une pratique de toute la vie qui met l'amour de l'humain avant toute chose. L'Esprit de Dieu ouvre les yeux des chrétiens sur ce qu'ils doivent être dans le monde d'aujourd'hui: des témoins de la charité, de la justice, du pardon, du partage. Des gens libérés qui font confiance à la lumière de l'Esprit.

21 mars 1993
Saint-Dominique, Montréal
Président de l'assemblée: Gilles Marcil, prêtre

L'homélie actualise la Parole de Dieu

Ce que la Parole m'inspire pour ce Jour du Seigneur...

_____

_____

_____

_____

_____

JUILLET

LUNDI 5

Antoine-Marie Zaccaria (1502-1539)

Médecin et prêtre. Il a fondé deux congrégations religieuses: les Barnabites et les Angéliques.

MARDI 6

Marietta Goretti (1890-1902)

Elle mourut en pardonnant à son agresseur qui lui avait asséné quatorze coups de poinçon pour avoir résisté à ses avances. Après sa mort, celui-ci se convertit et témoigna en 1950, au procès de canonisation de Marietta.

MERCREDI 7

Willibald (700-786)

Moine en 729, au mont Cassin. Il a été évêque d'Eichstatt. Le récit de son pèlerinage en Terre Sainte représente le premier récit de voyages écrit par un Anglais.

JUILLET

Priscille et Aquila (Ier siècle)

JEUDI **8**

Familles juives chassées de Rome et réfugiées à Corinthe. Ils furent collaborateurs de saint Paul dans son œuvre d'évangélisation.

Véronique Giuliani (1660-1727)

VENDREDI **9**

Abbesse du monastère capucin de Tiferno, en Italie. Elle fut marquée des stigmates de la Passion.

MA SEMAINE EN UN CLIN D'ŒIL:

22 mai 1983, fête de la Pentecôte, dans un esprit d'ouverture œcuménique, *Le Jour du Seigneur* célèbre à la Mission de la Pentecôte, à Montréal, dans un ancien cinéma. C'est le pasteur Henri Sauren qui anime le chant, commente les Écritures et invite à la prière.

JUILLET

SAMEDI 10

Emmanuel Ruiz († 1860)
Il vécut à Damas en Syrie. Il fut martyr avec sept autres franciscains et trois jeunes maronites qui ne voulurent pas les quitter au moment de l'épreuve.

RENDEZ-VOUS DE LA SEMAINE:

√

√

√

√

JUILLET

15e DIMANCHE DU TEMPS ORDINAIRE

Dieu compte sur nous. Comme cette graine qui se développe, comme ce goût de participer dans un sport quelconque, on le laisse se développer, Dieu nous laisse le temps pour développer notre relation avec lui. Ce qui est merveilleux, c'est qu'il compte sur nous, compte sur chacune et chacun de nous pour témoigner de sa présence aux autres. Il nous accorde le temps de perfectionner, de travailler, de développer des manières de mettre en pratique ce que nous professons, ce en quoi nous croyons. Que nous soyons jeunes, que nous soyons moins jeunes, que nous soyons très sportifs, capables de faire n'importe quoi, ou peu sportif, Dieu compte sur nous pour mettre en pratique là où nous vivons sa présence. Dieu est l'un de nous, il a fait l'expérience de la réalité humaine et tout ce que nous vivons, tout ce que nous partageons, Dieu le connaît intimement, parce que Jésus l'a vécu.

14 juillet 1996
Jeux de l'Acadie, Saint-Jean, N.-B.
Président de l'assemblée: Donald Savoie, prêtre

L'homélie actualise la Parole de Dieu

Ce que la Parole m'inspire pour ce Jour du Seigneur...

JUILLET

LUNDI 12

Olivier Plunket (1629-1681)

Il fut archevêque d'Armagh et primat d'Irlande. Il est mort martyr.

MARDI 13

Silas (1er siècle)

Les Actes des Apôtres reconnaissent en lui un prophète. Il fit partie de la délégation envoyée à Antioche pour faire connaître les décisions du Concile de Jérusalem.

MERCREDI 14

Camille de Lellis (1540-1614)

Moine capucin, il fut responsable de l'hôpital Saint-Jacques de Rome. En 1582, il fonda, avec quelques amis, les «Serviteurs des infirmes». Camille est le patron des infirmiers et infirmières.

JUILLET

Bonaventure (1221-1274)

JEUDI **15**

Franciscain, grand théologien du Moyen Âge. En 1273, il devint cardinal et évêque d'Albano. Il participa au concile de Lyon. Il est docteur de l'Église.

Notre-Dame du Mont Carmel

VENDREDI **16**

Selon la tradition des Carmes, la Vierge a remis à saint Simon le scapulaire (pièce de costume monastique) qui témoigne de la fidélité mariale de ceux qui le portent.

MA SEMAINE EN UN CLIN D'ŒIL:

Le 22 janvier 1984, Le Jour du Seigneur présente une liturgie toute particulière (la liturgie de Lima), dans le cadre d'une rencontre du Conseil œcuménique des Églises. La célébration se tient au Pacific Coliseum de Vancouver et elle est présidée par l'archevêque de Canterbury, Mgr Robert Runcie.

JUILLET

SAMEDI 17

Marceline († 363)

Sœur aînée de saint Ambroise qui avait une véritable vénération pour elle et le modèle de virginité chrétienne qu'elle représentait.

RENDEZ-VOUS DE LA SEMAINE:

√

√

√

√

JUILLET

16e DIMANCHE DU TEMPS ORDINAIRE

Le grand âge est souvent une épreuve difficile à affronter. Les forces diminuent, l'autonomie se perd. C'est le temps où une personne prend davantage conscience de la fragilité de la vie, où elle s'interroge plus fréquemment sur ce qu'elle a fait de son existence et sur l'orientation qu'elle lui donne maintenant.

Le grand âge n'est cependant pas une étape de la vie qui appelle à vivre à demi. Au contraire, il doit être vécu pleinement, bien que différemment de l'enfance, de la jeunesse ou de l'âge adulte. Chaque saison de la vie a sa couleur et son parfum, ses ombres et ses lumières.

10 février 2002
Saint-Mathieu, Montréal
Président de l'assemblée: Mgr Jean-Claude Turcotte

L'homélie actualise la Parole de Dieu

Ce que la Parole m'inspire pour ce Jour du Seigneur...

JUILLET

LUNDI 19

Symmaque (498-514)

Il fit construire des refuges et mobilisa la charité des Romains pour racheter des captifs faits par les barbares à l'occasion des invasions.

MARDI 20

Grégoire Lopez (1542-1596)

Espagnol devenu ermite dans une réserve indienne du Mexique. Il était herboriste, pharmacien, géographe, artisan, mais aussi spécialiste de la Bible.

MERCREDI 21

Laurent de Brindisi (1559-1619)

Capucin de Lisbonne. Il est docteur de l'Église. Ses dons de polyglotte lui valurent d'être l'émissaire des papes Clément VIII et Paul V.

JUILLET

Marie Madeleine (1er siècle) JEUDI **22**

Guérie par Jésus de «sept démons», Marie
Madeleine faisait partie du groupe des femmes
qui suivaient Jésus dans ses tournées apostoliques.

Brigitte de Suède (1303-1373) VENDREDI **23**

Femme d'un prodigieux génie mystique. Des
révélations la rendirent célèbre, surtout parce
qu'elle admonesta les papes et les rois.

MA SEMAINE EN UN CLIN D'ŒIL:

De grands anniversaires au *Jour du Seigneur*: le 375e anniversaire de la ville de
Québec, le 3 juillet 1983. Le 350e anniversaire de la ville de Trois-Rivières, le
15 juillet de l'année suivante. Et pour le 40e anniversaire du Débarquement en
Normandie, une messe à Sainte-Mère-Église, en France, le 22 juillet de la même
année.

JUILLET

SAMEDI 24

Cunégonde (Kinga) (1224-1292)
Fille du roi Béla IV et sœur de sainte Marguerite. Elle épousa le roi de Pologne Boleslas V le Chaste.

RENDEZ-VOUS DE LA SEMAINE:

√

√

√

√

JUILLET

17ᵉ DIMANCHE DU TEMPS ORDINAIRE

Nous prenons conscience de ce que notre famille spirituelle, l'Église, apporte à nos familles humaines. Elle ajoute des liens neufs pour nous unir: les liens d'une même foi, d'une même espérance, d'un même amour. Elle nous offre aussi un supplément d'énergie dans les sacrements. Je pense, en particulier, au sacrement du Pardon — ce pardon, si indispensable dans toute vie conjugale et familiale. Je pense à l'Eucharistie où l'on apprend, comme Jésus, à donner sa vie pour les siens. Autrement dit, aux liens de la chair et du sang, l'Église ajoute un supplément de sens et un surcroît d'énergie spirituelle.

25 juillet 1999
Saint-Pierre-de-Lavernière, Îles de la Madeleine
Président de l'assemblée: Mᵍʳ Bertrand Blanchet

L'homélie actualise la Parole de Dieu

Ce que la Parole m'inspire pour ce Jour du Seigneur...

_____

_____

_____

_____

_____

JUILLET

LUNDI 26

Anne et Joachim

La traditon chrétienne du IIe siècle nomme ainsi les parents de Marie. Le culte de sainte Anne remonte au VIe siècle. Le Canada et la Bretagne sont considérés comme les fiefs de sainte Anne.

MARDI 27

Jean Soreth († 1471)

Il fut prieur général de l'Ordre des Carmes qu'il s'employa à réformer. Il fonda les premiers couvents des Carmélites.

MERCREDI 28

Innocent Ier (Ve siècle)

Il fut apôtre de l'Église en Afrique et en Orient, et pape de 401 à 417. Il travailla à la reconstruction de Rome après la mise à sac par les hordes d'Alaric en 410.

JUILLET

Marthe (1er siècle)

Sœur de Lazare et de Marie qui vivaient à Béthanie. Elle fut admirée par le Seigneur parce qu'elle accueillait la Parole de Dieu.

Pierre Chrysologue (380-451)

Prédicateur qui savait se faire comprendre autant des marins que des fonctionnaires de l'État. Il est docteur de l'Église.

MA SEMAINE EN UN CLIN D'ŒIL:

Le 29 juillet 1984, grande messe célébrée sur le parvis de la cathédrale de Gaspé, pour commémorer le 450e anniversaire de l'arrivée de Jacques Cartier. Une importante œuvre musicale est alors créée: *la Messe de Jacques Cartier*, une œuvre du breton Pierrick Houdy.

JUILLET

SAMEDI **31**

Ignace de Loyola (1491-1556)

Il se convertit, à la suite d'une blessure pendant le siège de Pampelune. Fasciné par la vie des saints, il développa les célèbres Exercices spirituels. Il est le fondateur des Jésuites.

 RENDEZ-VOUS DE LA SEMAINE:

√

√

√

√

AOÛT

18e DIMANCHE DU TEMPS ORDINAIRE

En tant que chrétiens le plus grand don que l'on reçoit est l'AMOUR. Et si on arrive à s'en servir comme il faut, notre vie peut se révéler très intéressante. Cependant, il y a une chose qui peut porter atteinte à ce don; la HAINE... La haine peut être très dangereuse et même nous détruire. On peut dépenser beaucoup d'énergie tout simplement à imaginer des plans de vengeance. La haine laisse un héritage de poison: poison d'amertume, d'hostilité et de ressentiment. C'est étonnant de constater le poison et la méchanceté qui peuvent habiter les personnes qu'on considère comme «gentilles»! Brassez-les un peu et vous verrez. Quand on hait quelqu'un, on donne à celui-ci un terrible pouvoir sur notre personne. On lui permet de nous voler notre paix intérieure et notre capacité d'aimer.

Le Seigneur au contraire, nous invite à être des «antidotes» pouvant neutraliser les poisons dans notre vie. Face à la haine, la vengeance, la violence, l'injustice... il nous invite à répondre par l'amour, la justice, la prière et la paix.

3 août 1997
Saint-Nom-de-Jésus, Cold Lake, Alberta
Président de l'assemblée: Cap. Maurice Frenette, aumônier

L'homélie actualise la Parole de Dieu

Ce que la Parole m'inspire pour ce Jour du Seigneur...

AOÛT

LUNDI 2

Eusèbe de Verceil († 371)

Le premier évêque à rassembler ses clercs pour vivre avec eux une vie de communauté. Il a beaucoup souffert à cause des Ariens.

MARDI 3

Lydie (Ier siècle)

Elle se fit chrétienne vers l'an 55, quand Paul évangélisa le pays. À cause de son commerce, elle s'était installée à Philippes, port de la mer Égée.

MERCREDI 4

Jean Marie Vianney (1786-1859)

Curé d'Ars, au diocèse de Belley. Il fut le conseiller spirituel le plus consulté de son temps. Admiré des foules, ce thaumaturge demeura simple durant toute sa vie.

AOÛT

Frédéric Jansoone (1838-1916) JEUDI **5**
Franciscain originaire de la Flandre. Il fut au
Québec un promoteur de l'œuvre de Terre
Sainte. Il serait un des trois témoins qui ont vu la
Vierge du Cap de la Madeleine ouvrir les yeux. Il
a été béatifié le 25 septembre 1988.

La Transfiguration VENDREDI **6**
L'Évangile rapporte que Jésus fut transfiguré sur
le mont Thabor devant ses disciples, Pierre
Jacques et Jean, Moïse et Elie s'entretenaient
avec lui.

MA SEMAINE EN UN CLIN D'ŒIL:

1984, une année importante dans l'histoire des messes télévisées au Canada. Il faut se souvenir de l'important *chapelet* de messes présidées par le pape Jean-Paul II en visite au pays. De l'Atlantique au Pacifique de grands rassemblements partout.

AOÛT

SAMEDI 7

Sixte II et ses compagnons († 258)

Pour avoir, malgré l'édit de Valérien, tenu une assemblée liturgique au cimetière de Saint-Calliste, ce pape fut décapité avec les diacres Janvier, Étienne, Magnus et Vincent.

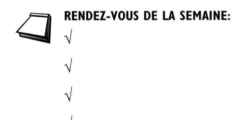

RENDEZ-VOUS DE LA SEMAINE:

√

√

√

√

AOÛT

19ᵉ DIMANCHE DU TEMPS ORDINAIRE

Nous devons avoir le courage de regarder le monde tel qu'il est, l'accepter et, là où le besoin se fait sentir, être capables de le changer. Par la foi et en vivant le suivi de chaque Eucharistie, nous pouvons devenir sel de la terre et lumière du monde. Tous les croyants et croyantes devront être en mesure d'y arriver avec la force de l'Esprit de Dieu qui est en nous. Mais, n'oublions pas que le monde changera, seulement lorsque chacun de nous aura eu le courage de changer.

4 août 2002
Notre-Dame-de-Fatima, Hull
Président de l'assemblée: Antonio Araugo, prêtre

L'homélie actualise la Parole de Dieu

Ce que la Parole m'inspire pour ce Jour du Seigneur...

AOÛT

LUNDI 9

Édith Stein (1891-1942)

Cette juive de naissance se convertit au catholicisme à la suite de la lecture de l'autobiographie de sainte Thérèse de Jésus. Au moment des persécutions d'Hitler, elle entra au Carmel. Elle finit sa vie dans le camp de concentration d'Auschwitz.

MARDI 10

Laurent († 260)

Les persécuteurs de Laurent voulaient qu'il dévoile la cachette des trésors de l'Église. Il réunit des pauvres de Rome et dit: «Voilà les trésors de l'Église.»

MERCREDI 11

Claire d'Assise (1193-1253)

Elle avait 18 ans quand François d'Assise la consacra au service de Dieu, dans la pauvreté. Elle a fondé les Clarisses. Elle fut canonisée deux ans après sa mort en 1255. (Patronne de la télévision.)

AOÛT

Bénilde Romançon (1805-1862)
JEUDI **12**

Enseignant chez les Frères des Écoles Chrétiennes, à Sauges. «Si par ma faute, les enfants ne croissent pas en bonté, quel est le sens de ma vie d'enseignant?»

Maxine le Confesseur (580-662)
VENDREDI **13**

Moine dans la région de Batoum, en Transcaucasie. Sa spiritualité inspira sa génération. Il est mort martyr.

MA SEMAINE EN UN CLIN D'ŒIL:

Le 2 décembre 1984, *Le Jour du Seigneur* se souvient de la première messe diffusée de la chapelle du Grand Séminaire de Montréal, en octobre 1954. L'archevêque de Montréal, Mgr Paul Grégoire, préside une messe à laquelle participent de nombreux amis et artisans de l'émission.

AOÛT

SAMEDI **14**

Maximilien Kolbe (1894-1941)

Franciscain conventuel. Il fonda revues et journaux en Pologne, au Japon et à Ceylan. Prisonnier politique, il s'offrit à remplacer un père de famille dans le bunker de la faim à Auschwitz.

RENDEZ-VOUS DE LA SEMAINE:

√

√

√

√

AOÛT

ASSOMPTION DE LA VIERGE MARIE

Le pape Pie XII en 1950 définit le dogme de l'Assomption en ces mots: «Au terme de sa vie terrestre, l'Immaculée Mère de Dieu a été élevée en son corps et en son âme à la gloire du ciel.»

 Jésus marche avec vous. S'il vous arrive de ne pas le reconnaître dans les épreuves ou dans les grands moments de votre vie, dans les défis que votre communauté affronte, dans les temps changeants que nous vivons, si parfois il a un visage déroutant sachez qu'il est aussi présent qu'au jour où vous l'avez rencontré dans la joie et dans la plénitude. En tout, il est fidèle à sa promesse: «Je suis avec vous tous les jours, jusqu'à la fin des siècles.» Nous avons reconnu l'amour de Dieu; nous lui rendons témoignage que cet amour est précieux pour nous et pour tout son peuple. Disons-lui notre reconnaissance avec les mots et les gestes de la liturgie. Oui, nous reconnaissons: c'est bien toi, Seigneur.

11 août 1996
Notre-Dame-de-la-Salette, Tracadie-Sheila, N.-B.
Président de l'assemblée: Mgr André Richard

L'homélie actualise la Parole de Dieu

Ce que la Parole m'inspire pour ce Jour du Seigneur…

AOÛT

LUNDI 16

Béatrice de Silva (1424-1490)

Nièce d'Isabelle de Castille. Pour avoir la paix et par vocation, elle se réfugia chez les Cisterciennes. Elle fonda un ordre de religieuses contemplatives.

MARDI 17

Hyacinthe (1190-1227)

Dominicain appelé «apôtre de la Pologne», au XIIIe siècle. Il rayonna vers la Russie, la Lituanie et les Balkans. Il est mort à 37 ans.

MERCREDI 18

Stanislas Kostka (1550-1568)

Fils d'un sénateur polonais, il entra chez les Jésuites, malgré l'opposition de sa famille. Il mourut pendant son noviciat non sans avoir donné un grand témoignage de sainteté. Il est le patron des Novices.

AOÛT

Jean Eudes (1601-1680)
Il fonde les Eudistes pour la formation des prêtres, et l'Institut du Bon Pasteur pour les filles «repenties». Initiateur de la dévotion au Sacré-Cœur au XVIIe siècle.

JEUDI **19**

Bernard (1090-1153)
Abbé de Cîteaux il imprima un grand essor à l'ordre cistercien. Il prêcha les Croisades. Il fut aussi un grand auteur spirituel sur Dieu et sur Notre-Dame. Il est le patron des fabricants de cierges.

VENDREDI **20**

MA SEMAINE EN UN CLIN D'ŒIL:

Le 17 février 1985, les caméras du *Jour du Seigneur* entrent au Centre fédéral de formation de Ville de Laval. Une messe en prison. Émouvante à souhait. C'est l'émission qui a peut-être récolté le plus grand nombre d'appels téléphoniques de satisfaction (48).

AOÛT

SAMEDI **21**

Pie X (1835-1914)

Joseph Sarto devint pape en 1903. Il est à l'origine de la renaissance liturgique et du retour à la communion fréquente. Son pontificat se buta à des difficultés doctrinales.

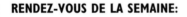

 RENDEZ-VOUS DE LA SEMAINE:

√

√

√

√

AOÛT

21e DIMANCHE DU TEMPS ORDINAIRE

Notre vie chrétienne est structurée autour de deux commande-ments — aimer Dieu, et aimer son prochain. Et c'est dans ces deux commandements que nous trouvons la mission de l'Église et notre mission à chacun et à chacune de nous —— d'être des lampes qui éclairent, qui transforment, qui transfigurent. Comme nos ancêtres, nous essayons de vivre le message de Jésus, de porter sa lumière dans notre monde [de 1995], et de faire connaître Jésus là où nous vivons. C'est ça la Transfiguration — c'est dire OUI à l'Évangile de Jésus, c'est de porter sa lumière dans le monde.

27 août 1995
Sainte-Jeanne-d'Arc, Domrémy, Saskatchewan
Président de l'assemblée: Maurice Fiolleau, prêtre

L'homélie actualise la Parole de Dieu

Ce que la Parole m'inspire pour ce Jour du Seigneur...

155

AOÛT

LUNDI 23

Rose de Lima (1586-1617)

Première sainte du Nouveau-Monde. Elle développa selon l'idéal dominicain, une vie de contemplation et de rayonnement apostolique autant auprès des Amérindiens que des colons.

MARDI 24

Barthélémy (1er siècle)

Apôtre, il fut le Nathanaël de Cana en Galilée. La tradition veut qu'il ait été écorché vif, puis décapité; de là viendrait qu'il soit patron des bouchers et des tanneurs.

MERCREDI 25

Louis IX (de France) (1214-1270)

Père de 11 enfants et chef d'État soucieux de paix et de justice. On lui doit la Sainte-Chapelle pour servir de reliquaire à la couronne d'épines. Sous son règne, le grand œuvre de Notre-Dame de Paris est achevé.

AOÛT

Césaire d'Arles (470-543)

JEUDI **26**

Moine à l'abbaye de Lérins. Évêque, il dut faire face aux barbares. Son courage et son éloquence lui valurent un grand prestige.

Monique (331-387)

VENDREDI **27**

Mère de saint Augustin, elle a pleuré la vie désordonnée de son fils et a beaucoup prié pour sa conversion. Elle mourut peu de temps après le retour à la foi du «fils-de-ses-larmes». Elle est la patronne des mères chrétiennes.

MA SEMAINE EN UN CLIN D'ŒIL:

14 juillet 1985: la messe des clochards. Ceux qui ont l'habitude de fréquenter la Maison du Père. La messe est célébrée dans le parc Viger, sous une pluie torrentielle. Plusieurs téléspectateurs ont davantage compris ce c'était que de vivre sans toit.

AOÛT

SAMEDI **28**

Augustin (354-430)

Ses *Confessions* racontent son itinéraire intérieur. Il fut évêque d'Hippone, en Afrique du Nord, pendant 34 ans. Jean Paul II a parlé de lui comme d'«un défenseur intrépide de l'orthodoxie de la foi».

RENDEZ-VOUS DE LA SEMAINE:

√

√

√

√

AOÛT

22ᵉ DIMANCHE DU TEMPS ORDINAIRE

Dans la pensée biblique, le cœur n'est pas surtout la place des émotions, mais le centre de la volonté et de l'engagement. C'est l'inclination du cœur qui dirige la course de nos vies. C'est ici qu'on arrive à la source de l'enseignement de Jésus concernant notre rapport avec les choses matérielles. On ne peut se donner à Dieu et aux biens matériels en même temps. On ne peut servir Dieu et les biens matériels en même temps. On ne peut servir Dieu et Mammon en même temps. On fera de l'un ou de l'autre notre priorité. Un cœur qui se penche vers les biens matériels peut y devenir l'esclave. Un cœur fixé sur les trésors de Dieu est esclave des propos de Dieu, mais c'est une servitude volontaire et une libération ultime, qui s'ouvre sur les possibilités les plus riches de la vie vécue à l'intérieur des dessins de Dieu créateur.

30 août 1998
Festival des danses du monde, Egmont, Î.-P.-É.
Président de l'assemblée: Mᵍʳ Vernon Fougère

L'homélie actualise la Parole de Dieu

Ce que la Parole m'inspire pour ce Jour du Seigneur...

AOÛT/SEPTEMBRE

LUNDI 30

Alexandre Nevski (1220-1262)
Héros russe célèbre pour avoir défendu le sol de la sainte Russie. Il a été reconnu saint un peu à la manière de Constantin ou de Charlemagne.

MARDI 31

Raymond Nonnat (1204-1240)
Membre de l'Ordre de la Merci, il épuisa toutes ses ressources pour la libération des captifs aux mains des musulmans en Algérie, puis il se livra lui-même comme otage. Il fut maltraité et racheté.

MERCREDI 1ᵉʳ

Gilles (VIIᵉ siècle)
L'un des saints les plus populaires du Moyen Âge. Les pèlerins s'arrêtaient à son tombeau situé sur la route menant à Rome et à Compostelle. La légende montre saint Gilles en compagnie d'une biche.

SEPTEMBRE

**André Grasset et les martyrs
de septembre († 1792)**

JEUDI **2**

Pendant la Révolution française, en 1792,
192 prêtres et évêques ont été abattus pour ne
pas avoir juré fidélité à la Constitution civile du
clergé. Parmi eux, André Grasset, né à Montréal.

Grégoire le Grand (540-604)

VENDREDI **3**

Moine qui fut élu pape en 590. Il mena de
grandes réformes administratives, ecclésiales et
liturgiques. On lui doit le chant grégorien. Il est
docteur de l'Église.

MA SEMAINE EN UN CLIN D'ŒIL:

22 septembre 1985: première messe du marathon sur l'île Sainte-Hélène. Une
halte de spirituel pour quelques centaines d'athlètes, juste avant le départ de la
course. L'expérience va se renouveler aussi longtemps que vivra l'événement du
marathon.

SEPTEMBRE

SAMEDI **4**

Dina Bélanger (1897-1929)
Brillante pianiste, cette Québécoise de la paroisse Notre-Dame-de-Jacques-Cartier se fit religieuse au couvent Jésus-Marie de Sillery. Elle vécut plusieurs expériences mystiques. Elle a été béatifiée le 25 mars 1993.

 RENDEZ-VOUS DE LA SEMAINE:

√

√

√

√

SEPTEMBRE

23ᵉ DIMANCHE DU TEMPS ORDINAIRE

Ce marathonien et vous tous, coureurs et coureuses, vous vous êtes donnés à plein pour relever le défi de la course d'aujourd'hui. Mais il y en a combien parmi tous les gens qui prient avec nous ce matin qui relèvent des défis de taille, qui vont jusqu'au bout d'eux-mêmes?

Il y en a combien de parents qui vivent l'oubli de soi pour leurs enfants?

Il y en a combien qui vivent le don de soi au service des autres?

Il y en a combien qui vivent le dépassement alors que la souffrance et la maladie les accablent?

Parce que la foi n'est pas qu'une parenthèse dans notre vie, nous avons tous l'entraînement qu'il faut pour célébrer l'Eucharistie en vérité. Puisons dans cette célébration le courage et la joie du don, de l'offrande de soi. Regardons Jésus qui s'offre au Père pour nous dans l'eucharistie et essayons de l'imiter dans notre quotidien.

2 septembre 1990
Île Sainte-Hélène, Montréal
Président de l'assemblée: François Lefebvre, prêtre
«Messe du marathon»

L'homélie actualise la Parole de Dieu

Ce que la Parole m'inspire pour ce Jour du Seigneur...

_____

_____

_____

SEPTEMBRE

LUNDI 6

Bertrand de Garrigues († 1230)
Ce religieux dominicain fut l'un des premiers compagnons de Dominique. Il a fondé les maisons de Paris et de Montpellier. Il était reconnu pour son zèle pastoral et sa charité.

MARDI 7

Marc Crisin et ses compagnons († 1619)
Torturés et mis à mort à l'occasion de massacres liés à la guerre de religions, en Hongrie.

MERCREDI 8

Nativité de la Vierge Marie
Une fête liée à la tradition de vénération entourant la mère de Jésus. Aucune racine historique ne peut préciser les événements de la naissance de Marie. Elle vivait à Nazareth.

SEPTEMBRE

Pierre Claver (1581-1654)
JEUDI **9**

Originaire de Carthagène, en Colombie, ce Jésuite défendit avec ardeur les Africains victimes de la traite des esclaves. Il est un héros national en Colombie.

Lucie de Freitas († 1622)
VENDREDI **10**

Cette Japonaise utilisa sa maison comme lieu de rencontres clandestines pour les chrétiens. Elle fut arrêtée et brûlée vive parce qu'on avait trouvé des prêtres dans sa maison.

MA SEMAINE EN UN CLIN D'ŒIL:

13 avril 1986: à la cathédrale de Bathurst, ordination à l'épiscopat de Mgr Arsène Richard, originaire du diocèse de Moncton. Il est décédé peu de temps après. Le Jour du Seigneur se souvient de cet homme qui a été pendant plusieurs années délégué diocésain pour l'émission.

SEPTEMBRE

SAMEDI **11**

Jean-Gabriel Perboyre (1802-1840)
Prêtre des Missions Étrangères, il missionna en Chine. Il fut arrêté et torturé. Son oraison le gardait dans la sérénité et la confiance en Dieu.

RENDEZ-VOUS DE LA SEMAINE:

√

√

√

√

SEPTEMBRE

DIMANCHE **12**

24e DIMANCHE DU TEMPS ORDINAIRE

Notre mission est d'être des artisans de paix, des faiseurs de paix; en la faisant d'abord nous-mêmes, nous levant chaque matin et nous rappelant tout simplement que Dieu nous appelle à vivre, à donner la vie, à donner l'amour, à donner la communion à nos frères et nos sœurs qu'il mettra sur notre chemin, peu importe où nous marcherons dans cette journée. La paix c'est un don de Dieu, c'est un don du ciel, c'est un don personnel, pour lequel on a tout simplement à rester ouvert. La paix c'est un don à partager avec nos familles, peu importe où nous nous trouvons sur cette terre; et la paix c'est cette dynamique intérieure qui nous permet d'ouvrir les bras comme le Christ pour se donner, pour donner notre vie, pour que partout sur la terre se vive cette communion d'amour à laquelle nous sommes appelés.

12 septembre 1993
Soldats canadiens en Bosnie-Herzégovine
Président de l'assemblée: Padre Major Jean-Pierre Guay

L'homélie actualise la Parole de Dieu

Ce que la Parole m'inspire pour ce Jour du Seigneur...

_____

_____

_____

_____

SEPTEMBRE

LUNDI 13

Jean Chrysostome (349-404)

Patriarche de Constantinople, il était un orateur doué, d'où son surnom de «Bouche d'or». On lui doit quelque 600 discours et sermons. Il est docteur de l'Église.

MARDI 14

La croix glorieuse

Cette tradition remonte aux fouilles menées par sainte Hélène, sur la butte du Calvaire, pour trouver les restes de la croix de Jésus. En 335, une basilique à Jérusalem est consacrée à cette croix glorieuse.

MERCREDI 15

Notre-Dame-des-Douleurs

Fête liée à la présence de Marie souffrante aux pieds de la croix. Elle est présente près des croix de notre vie.

SEPTEMBRE

Corneille († 253) et Cyprien (200-258)

JEUDI **16**

Corneille fut pape pendant deux ans. Il lutta avec énergie contre Novatien, un antipape. Cyprien, son ami, fut évêque de Carthage. Dans ses écrits, il défendit l'unité de l'Église.

Robert Bellarmin (1542-1621)

VENDREDI **17**

Théologien jésuite et archevêque de Capoue au début du XVIIe siècle, il est l'auteur d'un catéchisme pour la formation des jeunes chrétiens. Nommé docteur de l'Église en 1931.

MA SEMAINE EN UN CLIN D'ŒIL :

Pour la première fois au *Jour du Seigneur*, le 20 avril 1986, une femme préside la Sainte-Cène. Il s'agit de la pasteure Alison Paterson de l'Église réformée Saint-Luc, à Montréal. Et le 8 janvier 1995, c'est au tour de la pasteure Patricia Giannelia de l'Église luthérienne du Bon Pasteur de Saint-Lambert.

SEPTEMBRE

....

SAMEDI **18**

Ferréol († 597)

Il se fera négociateur auprès du roi Chilpéric pour diminuer les impôts exigés du peuple. Il participa aux conciles régionaux de Mâcon et de Clermont.

_____

_____

_____

_____

_____

_____

_____

_____

_____

_____

RENDEZ-VOUS DE LA SEMAINE:

√

√

√

√

SEPTEMBRE

25ᵉ DIMANCHE DU TEMPS ORDINAIRE

Depuis 2000 ans, le message du Christ nous annonce que Dieu a le cœur assez large pour abriter tout l'univers et embrasser tous les êtres humains. Dieu accorde autant d'attention aux petits qu'il en donne aux grands. Il nous aime gratuitement quels que soient nos talents, nos réussites, nos mérites, notre labeur, l'ardeur de notre engagement ou la parure de nos vêtements. Il aime inconditionnellement. Il fait tomber la pluie sur les injustes comme sur les justes. Et son soleil luit pour tout le monde. Pour chaque personne et pour l'univers entier, Dieu veut la paix et l'harmonie.

19 septembre 1993
Saint-Cœur-de-Marie, Québec
Président de l'assemblée: Denis Gagnon, prêtre

L'homélie actualise la Parole de Dieu

Ce que la Parole m'inspire pour ce Jour du Seigneur…

SEPTEMBRE

LUNDI 20

André Kim, Paul Chong et compagnons († 1846)

Chefs de file de l'Église coréenne à la fin du XIXe siècle. Jean Paul II les a canonisés, en Corée, le 21 septembre 1984.

MARDI 21

Matthieu (Ier siècle)

Évangéliste appelé aussi Lévi. Jésus fait de cet employé des douanes au péage de Capharnaüm, un apôtre. On pense qu'il porta la bonne nouvelle en Éthiopie.

MERCREDI 22

233 martyrs espagnols († 1936)

Fête liturgique des 233 martyrs de la persécution espagnole qui a eu lieu en 1936. Leur béatification «record» a eu lieu le 11 mars 2001, par Jean Paul II.

SEPTEMBRE

François Jacquard (1799-1838)

JEUDI **23**

Missionnaire au Vietnam, il vécut en semi-captivité, au service du roi de Hué, pour qui il faisait des traductions. Les mandarins le firent décapiter.

Notre-Dame-de-la-Merci

VENDREDI **24**

Fête patronale des Mercédaires voués au rachat des captifs de l'islam. Alphonse de Liguori déposa son épée aux pieds de la statue quand il décida de devenir prêtre.

MA SEMAINE EN UN CLIN D'ŒIL:

Le diocèse de Montréal a 150 ans. Monseigneur Paul Grégoire préside un premier rassemblement à Notre-Dame, celui des jeunes, le 8 juin 1986. La grande fête diocésaine sera télédiffusée de Notre-Dame, toujours, le 14 septembre de la même année.

SEPTEMBRE

SAMEDI 25

Hermann Contract (1013-1054)

Savant prodigieux et musicien. Il fut moine à l'abbaye de Reichenau, en Allemagne. On lui doit l'hymne *Salve Regina*. Inventeur d'un astrolabe et d'une machine à calculer.

 RENDEZ-VOUS DE LA SEMAINE:

√

√

√

√

SEPTEMBRE

DIMANCHE 26

26e DIMANCHE DU TEMPS ORDINAIRE

Nous sommes invités à croire, comme l'enfant qui a une foi inébranlable, qui n'a aucun doute qu'il est aimé et qui, en toute sécurité, sent qu'il ne sera pas abandonné par ceux et celles qui l'aiment. Le tout petit ne s'inquiète pas de ses lendemains, ne cherche pas à être le meilleur mais vit humblement en toute confiance.

Telle devrait être notre foi en ce Dieu d'amour; ne nous inquiétons pas de l'importance, du rang ou de la place que nous occupons dans la société. Comme l'enfant, croyons et reconnaissons les bontés du Christ.

24 septembre 2000
Sainte-Famille, Calgary
Président de l'assemblée: Jacques Joly, o.m.i.

L'homélie actualise la Parole de Dieu

Ce que la Parole m'inspire pour ce Jour du Seigneur…

SEPTEMBRE

LUNDI **27**

Vincent de Paul (1581-1660)
Fondateur des prêtres de la Mission et des Filles de la Charité. «Monsieur Vincent» est l'un des maîtres de la spiritualité française au XVIIe siècle.

MARDI **28**

Wenceslas (907-929)
Patron de la Bohême, il est honoré comme martyr et héros national. Il fut assassiné par son frère au milieu des intrigues de la cour.

MERCREDI **29**

Archanges Michel, Gabriel, Raphael
La Bible nous les présente comme des messagers, des révélateurs de la pensée de Dieu. Gabriel est patron des médias.

SEPTEMBRE/OCTOBRE

Jérôme (340-420)
La traduction latine de la Bible... appelé la Vulgate, est l'œuvre de sa vie. Il aimait la polémique et perdait beaucoup d'amis. Il est mort à Bethléem en 420. Il est docteur de l'Église.

JEUDI 30

Thérèse de l'Enfant-Jésus (1873-1897)
Entrée au Carmel à l'âge de 15 ans, elle vécut des expériences mystiques. Sa prière s'étendait à toute l'Église missionnaire. Elle est la patronne des missions et docteure de l'Église.

VENDREDI 1er

MA SEMAINE EN UN CLIN D'ŒIL:

Le 12 juillet, *Le Jour du Seigneur* célébrait dans la beauté à l'église Saint-Sacrement de Québec. Plus de 500 enfants chantaient sous la direction de l'abbé Claude Thompson de Trois-Rivières. Le 6 juin 1993, Gregory Charles dirigeait 500 petits chanteurs à Saint-Vincent-de-Paul, à Laval. Et le 9 juin 1995, plus de 1000 *pueri cantores* remplissaient l'Oratoire Saint-Joseph.

Roland Leclerc, l'animateur actuel de l'émission *Le Jour du Seigneur* était déjà au rendez-vous pour le trentième anniversaire. En 1984, il signe un texte dans le livret d'accompagnement pour la messe télévisée, édité chez Fides.

BONJOUR!
BON DIMANCHE!

Ces mots, je les dis avec joie chaque fois que je présente *Le Jour du Seigneur*: ce sont pour moi des mots très importants!

Bonjour! Bon dimanche! Ça me permet d'entrer immédiatement en contact avec vous. Bien sûr, nous sommes des milliers, rassemblés par la magie de la télévision, mais vous et moi, nous vivons chaque dimanche un rendez-vous très personnel.

Bonjour! Bon dimanche! ces mots me situent dans la longue tradition du *Jour du Seigneur*: trente ans déjà! Le «bonjour» chaleureux du père Legault résonne toujours à nos oreilles... Si je pouvais seulement réveiller le goût communicatif qu'il nous donnait à tous pour cette rencontre du *Jour du Seigneur*, je me sentirais heureux!

Bonjour! Bon dimanche! ces mots nous ouvrent à la célébration qui vient. Chaque semaine une communauté chrétienne différente nous accueille. Nous découvrons, avec intérêt, des figures nouvelles, des chants, une atmosphère, un président d'assemblée. Et quel est le sens de tout cela? Nous voulons ensemble rencontrer le Christ, Parole éternelle de Dieu. Et cela compte par-dessus tout!

Je recevais en janvier dernier une lettre qui, je crois, s'adresse à chacun de vous:

Il me fait plaisir de faire quelques pas avec vous. Vous m'avez tendu la main pour que je ne trébuche pas dans l'isolement... Je crois à la prière de la messe quand les gens se rassemblent vraiment pour rencontrer le Christ. J'ai besoin de prier avec quelqu'un: c'est pourquoi je crois au *Jour du Seigneur* lequel a le pouvoir de venir dans nos maisons.

Aussi, en vous présentant ce livret, je vous redis de tout cœur:
Bonjour, Bon dimanche, c'est le Jour du Seigneur!

Roland Leclerc, 1984

Entrevue avec sœur Aline Vadnais, s.a.s.v., sup., devant l'église Saint-Grégoire de Bécancour (diocèse de Nicolet).

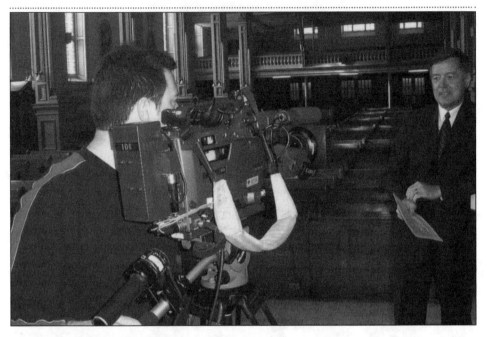

Enregistrement du magazine d'information *Jour du Seigneur Plus* de fin d'émission (église Sainte-Brigide de Montréal, octobre 2000).

L'équipe de coordination de l'émission: Roland Leclerc, Linda Hermanovich, assistante à la réalisation et André Daris, réalisateur-coordonnateur. Absent de la photo: André Raymond, conseiller liturgique et réalisateur.

Tournage d'une présentation devant la mer, aux Îles de la Madeleine (été 1999).

Présentation d'une émission au lac Bouchette (ermitage Saint-Antoine, été 2003).

OCTOBRE

SAMEDI 2

Les saints anges gardiens

L'angélologie enseigne que chaque enfant, en naissant, a un ange protecteur. Jésus insiste sur le fait que «son ange voit la face du Père, dans les cieux».

RENDEZ-VOUS DE LA SEMAINE:

√

√

√

√

OCTOBRE

27ᵉ DIMANCHE DU TEMPS ORDINAIRE

Le pardon est un mouvement du cœur, et pour réussir à pardonner «de tout son cœur» comme dit l'Évangile, à son frère ou à sa sœur, on doit d'abord avoir le courage de faire face honnêtement à la réalité. Avec honnêteté, reconnaissons en nous la blessure, la pauvreté intérieure, l'impuissance. Reconnaissons aussi les désirs de vengeance et la colère qui peuvent surgir dans nos cœurs.

Ensuite, il faut se donner le temps. Il n'est pas facile de forcer son cœur. La simple décision de vouloir pardonner peut ne pas réussir à nous donner un cœur de pardon, encore moins à rétablir les relations comme elles l'étaient auparavant. Il faut pour cela se donner le temps.

3 octobre 1993
Notre-Dame-de-l'Assomption, Hearst, Ontario
Président de l'assemblée: Gilles Gosselin, prêtre

L'homélie actualise la Parole de Dieu

Ce que la Parole m'inspire pour ce Jour du Seigneur…

OCTOBRE

LUNDI 4

François d'Assise (1182-1226)

Jeune noble converti en 1205, il décida de consacrer sa vie à la restauration de l'Église. Fondadeur de l'ordre mendiant des Franciscains et, avec Claire, de l'ordre féminin des Clarisses. Il est le patron des écologistes.

MARDI 5

Marie-Faustine Kowalska (1905-1938)

Sœur converse chez les religieuses de Notre-Dame-de-la-Miséricorde, à Varsovie, elle reçut une vision de l'Icône du Christ miséricordieux. Canonisée en l'an 2000.

MERCREDI 6

Marie-Rose Durocher (1811-1849)

Québécoise, née à Saint-Antoine-sur-Richelieu, Eulalie a fondé en 1843, la congrégation des sœurs des Saints-Noms-de-Jésus-et-de-Marie, consacrée à l'éducation des jeunes filles.

OCTOBRE

Notre-Dame-du-Rosaire

C'est la piété médiévale de l'Occident qui a donné l'essor de cette dévotion mariale liée à la prière du Rosaire, un peu en substitut à la prière du bréviaire pratiquée par les prêtres.

JEUDI **7**

Siméon

Il est le vieillard rempli de l'Esprit Saint qui accueillit Jésus au Temple. Il prophétisa que cet enfant serait la Lumière des nations et que sa mère serait la Vierge des douleurs.

VENDREDI **8**

MA SEMAINE EN UN CLIN D'ŒIL:

Le 3 août 1986, une messe de la paix, en provenance de Lahr en Allemagne. Grâce à un travail de collaboration entre Radio-Canada et l'armée canadienne. C'est ainsi aussi que, le 12 septembre 1993, *Le Jour du Seigneur* pouvait présenter une messe de la Bosnie-Herzégovine, en Europe de l'Est.

OCTOBRE

SAMEDI **9**

Denis et ses compagnons martyrs († 250)

Denis, premier évêque de Paris. La légende lui donne deux compagnons: Eleuthère et Rustique. Sainte Geneviève fit construire une basilique en son honneur.

RENDEZ-VOUS DE LA SEMAINE:

√

√

√

√

OCTOBRE

28e DIMANCHE DU TEMPS ORDINAIRE

Pour vivre, il nous faut plus qu'une raison, il faut une passion. C'est ce qui remplit le cœur; ce qui donne le goût d'aimer et d'offrir le meilleur. Une passion est aussi ce qui nous garde alertes, créatifs et… jeunes, qu'importe le nombre de nos années. Une passion peut être un projet, même un rêve un peu fou que nous désirons accomplir. Une passion peut être encore ce plaisir, cette joie que nous voulons apporter à quelqu'un… Si nous sommes appelés à faire quelque chose de beau, de bon, de grand, de vrai et même quelque chose de neuf, faisons-le tandis que nous le pouvons. C'est ce qui permet d'être fiers et satisfaits de notre vie. C'est ce qui empêche tout regret. En peu de mots, SOYONS DES PASSIONNÉS!

6 octobre 2002
Saint-Boniface, Sherbrooke
Président de l'assemblée: Yves Perreault, prêtre

L'homélie actualise la Parole de Dieu

Ce que la Parole m'inspire pour ce Jour du Seigneur…

OCTOBRE

LUNDI 11

Marie-Soledad Torrès (1826-1887)

Fondatrice de religieuses gardes-malades, à Madrid. Elle fut destituée comme directrice, mais on lui rendit sa charge avant sa mort.

MARDI 12

Wilfrid (634-709)

Archevêque d'York, près de Northampton, en Angleterre. Balisé de luttes et d'épreuves, son épiscopat dura 45 ans.

MERCREDI 13

Fauste, Janvier et Martial († vers 304)

Ils furent martyrs à Cordoue. Prudence les a surnommés «les trois couronnés».

OCTOBRE

Calliste Ier († 222) JEUDI **14**

Calliste fut esclave, affranchi, diacre, puis pape. Il est mort assassiné au cours d'une émeute. L'une des plus célèbres catacombes de Rome porte son nom.

Thérèse de Jésus (1515-1582) VENDREDI **15**

Grande réformatrice de l'ordre du Carmel, Thérèse d'Avila a laissé des écrits d'une grande valeur doctrinale, fruits de son expérience mystique. Elle est docteure de l'Église.

MA SEMAINE EN UN CLIN D'ŒIL:

À deux reprises, *Le Jour du Seigneur* a suivi ses téléspectateurs qui passent leur hiver en Floride. Le 15 janvier 1989, la messe était diffusée de Sainte-Marie-Madeleine, à Miami Beach. Et le 23 mars 2003, de St. Mattew, à Hollywood.

OCTOBRE

SAMEDI 16

Marie-Marguerite d'Youville (1701-1771)

Née à Varennes, au Québec, elle fonda l'Institut des sœurs de la Charité de Montréal (les Sœurs Grises). Le pape Jean XXIII lui a donné le très beau nom de «Mère à la charité universelle».

RENDEZ-VOUS DE LA SEMAINE:

√

√

√

√

OCTOBRE

29ᵉ DIMANCHE DU TEMPS ORDINAIRE

«250ᵉ anniversaire de fondation des Sœurs Grises»

Marguerite d'Youville, c'est une femme de foi. Elle a cru non seulement avec son intelligence, mais surtout avec son cœur. Cela fait toute la différence. Elle a compris que Dieu est amour et plein de compassion, qu'il nous aime sans distinction et sans limites. Sa foi en Dieu le Père l'a rendue confiante en la vie, en l'avenir, malgré les obstacles et l'opposition. Sa confiance l'a libérée intérieurement et sa liberté lui a permis de se faire proche des plus pauvres, de ceux que l'on rejette et dont on a peur. Elle a su faire flèche de tout bois pour manifester la tendresse divine envers tous et spécialement les plus malheureux.

18 octobre 1987
Sainte-Anne-de-Varennes, Varennes
Homéliste: Sœur Marguerite Letourneau, s.g.m.

L'homélie actualise la Parole de Dieu

Ce que la Parole m'inspire pour ce Jour du Seigneur…

OCTOBRE

LUNDI 18

Luc (1er siècle)

Païen, né à Antioche. Après des études en médecine, il se convertit et devint le compagnon de Paul. Il est reconnu comme l'auteur des *Actes des Apôtres* et du troisième évangile.

MARDI 19

Pierre d'Alcantara (1499-1562)

Franciscain qui conseilla Thérèse d'Avila. Grand mystique, il nous a laissé le *Traité de l'Oraison*.

MERCREDI 20

Bertille Boscardin (1888-1922)

Religieuse chez les sœurs de Sainte-Dorothée, elle fut une infirmière modèle, surtout pendant la Première Guerre mondiale. Sa compétence et son courage forcèrent l'admiration.

OCTOBRE

Hilarion (291-371)

Baptisé à Alexandrie à 15 ans, il se dépouilla de ses biens pour vivre dans une grande solitude. Il se résigna à prendre la direction d'un monastère, mais il revint à la solitude totale à la fin de sa vie.

Philippe d'Héraclée († 304)

Il fut évêque de Thrace et fut brûlé parce qu'il refusa de renier Dieu et de livrer les livres saints.

MA SEMAINE EN UN CLIN D'ŒIL:

Présence autochtone au *Jour du Seigneur*: le 17 avril 1988, fête de Kateri Tekakwitha à l'église de Kahnawake. Le 30 juillet 1989, les Amérindiens de l'Alberta célébraient la fête de sainte Anne, au lac Sainte-Anne. Et le 26 juillet 1992, la messe était présentée de la Mission indienne de Restigouche, en Gaspésie.

OCTOBRE

SAMEDI **23**

Jean de Capistran (1386-1456)

Bouleversé par la mort de sa jeune femme, ce gouverneur de Pérouse se convertit et devint franciscain. Il était par son éloquence et sa lucidité, la «Voix de l'Europe». Il a conseillé quatre papes.

RENDEZ-VOUS DE LA SEMAINE:

√

√

√

√

OCTOBRE

DIMANCHE **24**

30ᵉ DIMANCHE DU TEMPS ORDINAIRE

Nous avons à construire, là où nous sommes, l'espérance, la confiance. De sorte que ceux qui nous voient vivre, ceux qui grandissent après nous pourront dire: ça vaut la peine de lutter. Ça vaut la peine de chanter, ça vaut la peine de rendre grâce parce que ça vaut la peine de construire quelque chose de plus beau.

Que l'Esprit du Seigneur en ce dimanche achève en vous son esprit de louange et son esprit de solidarité. Qu'Il construise par vos mains, par vos chants la confiance nécessaire pour construire quelque chose de beau, quelque chose de vivable pour nous-mêmes bien sûr, mais aussi pour les plus jeunes qui nous suivent. Que l'Esprit du Seigneur achève en vous ce qu'Il a si bien commencé dans la justice et la solidarité.

31 octobre 1993
Saint-Jean-l'Évangeliste, Mc Watters, Qc
Président de l'assemblée: Rénal Dufour, prêtre

L'homélie actualise la Parole de Dieu

Ce que la Parole m'inspire pour ce Jour du Seigneur...

_____

_____

_____

_____

_____

OCTOBRE

LUNDI 25

Richard Gwyn († 1584)

Brillant professeur au pays de Galles. Il fut inquiété en raison de ses activités papistes. Ses interrogatoires étaient des joutes oratoires où personne ne pouvait le confondre.

MARDI 26

Dimitri de Rostov (XIIᵉ siècle)

Son œuvre monumentale, au XIIᵉ siècle, *La Vie des saints*, était aussi populaire auprès du peuple russe que les Évangiles.

MERCREDI 27

Frumence (IVᵉ siècle)

Il s'échoua avec des compagnons sur la côte de l'Éthiopie. Il devint précepteur du jeune roi d'Axoum et obtint la liberté pour le christianisme. Latins, Grecs et Coptes lui vouent une égale vénération.

OCTOBRE

Simon et Judes (1ᵉʳ siècle)

JEUDI 28

Simon, surnommé le zélote aurait d'abord mené la lutte contre l'occupant romain; Jude, surnommé Thaddée (qui signifie: «plein de cœur») aurait prêché en Mésopotamie.

Michel Rua (1837-1910)

VENDREDI 29

Il seconda Jean Bosco, comme son ombre. Il devint général des Salésiens à 51 ans. Il dirigea l'expansion missionnaire de la communauté en Amérique latine.

MA SEMAINE EN UN CLIN D'ŒIL:

Le Jour du Seigneur est diffusé de l'Atlantique au Pacifique. L'émission avait déjà été présentée de Vancouver. Mais pour la première fois, elle était diffusée d'Halifax, le 22 avril 1990. La petite communauté francophone priait dans l'église St. Patrick.

OCTOBRE

SAMEDI 30

Dorothée de Montau (1347-1394)

Elle mit au monde neuf enfants dont seule une fille survécut. Devenue veuve et recluse, elle se signala par une vie mystique intense. Elle est patronne de la Prusse.

RENDEZ-VOUS DE LA SEMAINE:

√

√

√

√

OCTOBRE

31e DIMANCHE DU TEMPS ORDINAIRE

Depuis les débuts de l'humanité, le dessein de Dieu pour nous est un projet de paix et de vie heureuse ensemble. Car il nous chérit et nous veut vivants et heureux. Ce matin, Dieu nous redit ce rêve de son cœur pour nous. Par Jésus, il nous invite à lui faire confiance de tout notre cœur et à aimer notre prochain comme nous-mêmes. Ce commandement nous est offert comme un don merveilleux, comme une balise dans notre recherche du bonheur. Le psalmiste chante ce don en disant qu'il est une lampe sur notre route. Dieu veut que nous soyons une communauté où il se plaît, une communauté unie, dans l'entraide et le partage, dans la justice, le respect mutuel et la bonté de cœur.

5 novembre 2000
Cœur-Très-Pur-de-Marie, Plaisance, Québec
Président de l'assemblée: Mgr Roger Ebacher

L'homélie actualise la Parole de Dieu

Ce que la Parole m'inspire pour ce Jour du Seigneur…

NOVEMBRE

LUNDI 1er

La Toussaint

À l'origine, l'Orient célébrait par cette fête les martyrs de toute la terre.

Autour du VIIIe siècle, cette fête devint chômée. Aujourd'hui, elle rappelle tous les saints, connus et inconnus qui ont montré leur attachement au Christ.

MARDI 2

Commémoration des fidèles défunts

Saint Odilon établit, en 998, dans tous les monastères dépendant de lui, une journée de prière pour les âmes du purgatoire. Au lendemain de la Toussaint, il voulait montrer le sens de la Communion des saints.

MERCREDI 3

Hubert († 727)

Il est le patron des chasseurs. Il est vénéré surtout dans les Ardennes, par un peuple de chasseurs. Il travailla à la conversion de la Belgique orientale. Il fut évêque de Maestricht-Liège.

NOVEMBRE

Charles Borromée (1538-1584)

JEUDI 4

Neveu du pape Pie IV et un des stratèges du concile de Trente. Il fonda les premiers séminaires, réforma le catéchisme et le bréviaire. Il manifesta un héroïque dévouement pendant la peste de 1576.

Zacharie et Élisabeth

VENDREDI 5

Parents de Jean le Baptiste. Zacharie était muet, mais il écrivit sur une tablette le nom «Jean», qui signifie «Yahvé est bon». Il prophétisa le cantique *Béni soit le Seigneur, le Dieu d'Israël.*

MA SEMAINE EN UN CLIN D'ŒIL:

Le 9 décembre 1990, canonisation à Rome de sainte Marguerite d'Youville, première sainte née au Canada. Le 12 mai 1991, les Sœurs Grises convoquaient quelques milliers d'amis dans le Vieux-Port de Montréal, pour la messe mais aussi pour une grande fête populaire.

NOVEMBRE

SAMEDI 6

Léonard de Noblac (Ve siècle)

Pour le roi Clovis, il fonda un monastère appelé «Noblac». Léonard avait reçu du roi la permission de libérer les prisonniers qu'il visiterait, se portant garant d'eux.

RENDEZ-VOUS DE LA SEMAINE:

√

√

√

√

NOVEMBRE

32e DIMANCHE DU TEMPS ORDINAIRE

«Dieu est un feu dévorant» nous dit la Bible. Ce qui est bâti sur l'exploitation, l'oppression, la violence, l'injustice et le mépris, est voué à la destruction. Autant comme peuple que comme individu, nous ne devons pas nous leurrer. Dieu connaît les cœurs. L'ordre actuel des choses qui est trop souvent un ordre de violence des grands sur les petits, des riches sur les pauvres, des forts sur les faibles est un ordre voué à sa propre destruction. Que ce soit par l'effet de serre ou les rébellions sanglantes, nous récoltons ce que nous avons semé. C'est là le jugement de Dieu sur les folies des humains.

10 novembre 1991
Église Unie de Montréal
Président de l'assemblée: Denis Fortin, pasteur

L'homélie actualise la Parole de Dieu

Ce que la Parole m'inspire pour ce Jour du Seigneur…

NOVEMBRE

LUNDI 8

Jean Duns Scot (1266-11308)

L'un des trois docteurs les plus célèbres de la scolastique. Ce franciscain professait que le Verbe se fût incarné même si Adam n'avait pas péché. Paul VI l'admirait.

MARDI 9

Dédicace de la Basilique du Latran

À partir du IVe siècle, cette basilique fut pendant 10 ans la résidence habituelle des papes. On lui reconnaît le titre de «mère et tête de toutes les églises».

MERCREDI 10

Léon le Grand († 481)

Plus moraliste que théologien, il est, avec saint Grégoire, le seul pape à qui la postérité a donné le nom de Grand. Il a été proclamé docteur de l'Église en 1754.

NOVEMBRE

Martin de Tours (316-397)

JEUDI **11**

Né dans une famille païenne, il se convertit à l'âge de 11 ans. Moine, il deviendra évêque de Tours, en France. La mémoire populaire conserve l'image d'un jeune militaire partageant son manteau avec un pauvre aux portes d'Amiens.

Josaphat Kunzéwic (1580-1623)

VENDREDI **12**

Évêque qui manifesta un grand courage à vouloir réconcilier les rites, les confessions et les ethnies qui foisonnent dans la région frontalière de la Pologne et de la Russie. Il fut assassiné.

MA SEMAINE EN UN CLIN D'ŒIL:

Présences ethniques au *Jour du Seigneur*: le 13 janvier 1991, avec la communauté des Saints-Martyrs-du-Vietnam. Le 15 mars 1992, c'est la paroisse polonaise de Notre-Dame-de-Czestochowa à Montréal. Et le 18 février 1996 l'émission est diffusée de la Mission coréenne Assomption-de-Marie.

NOVEMBRE

....

SAMEDI 13

Didace (Diego) (1400-1463)

Franciscain espagnol, Diego accomplit de nombreuses guérisons en faveur des pauvres. Un siècle après sa mort, la guérison de l'Infant d'Espagne lui fut attribuée.

RENDEZ-VOUS DE LA SEMAINE:

√

√

√

√

NOVEMBRE

DIMANCHE **14**

33e DIMANCHE DU TEMPS ORDINAIRE

Nos amours humaines d'ici-bas portent déjà en nous ce qu'elles seront dans l'éternité; comme dans la vie et la vie éternelle, elles transgressent la mort; nous les retrouverons transfigurées sur l'autre rive. Or, pour Jésus, tout comme son pardon, l'Amour de Dieu est accordé inconditionnellement à tous les hommes; à nous de l'accepter et de le recevoir librement. Il est le Dieu des vivants et non des morts; nous sommes appelés non seulement à être dignes d'avoir part au monde à venir, mais tous également à vivre avec Lui et pour Lui.

11 novembre 2001
Institut universitaire de gériatrie de Montréal
Président de l'assemblée: Yvon Marcoux, prêtre

L'homélie actualise la Parole de Dieu

Ce que la Parole m'inspire pour ce Jour du Seigneur...

NOVEMBRE

LUNDI 15

Albert le Grand (1206-1280)
Membre de l'ordre des Dominicains, il enseigna à Thomas d'Aquin. En 1259, il devint évêque de Ratisbonne. Il est docteur de l'Église.

MARDI 16

Marguerite d'Écosse (1046-1093)
Mère de huit enfants dont elle sut faire des souverains chrétiens et responsables. Elle apporta un idéal de sainteté à la cour.

MERCREDI 17

Élisabeth de Hongrie (1207-1231)
Mère de trois enfants, elle s'est consacrée aux soins des miséreux. Veuve à 20 ans, elle vécut dans la spiritualité franciscaine. Elle est la patronne des gens en service auprès des malades.

NOVEMBRE

**Dédicace des basiliques Saint-Pierre
et Saint-Paul**

La basilique Saint-Pierre est devenue au cours des siècles, le signe de l'universalité de l'Église, le symbole de la primauté pontificale. Saint-Paul est l'apôtre de l'évangélisation.

Raphael Kalinowski (1835-1907)

Ingénieur polonais chargé de construire la route Kursk-Odessa. Déporté en Sibérie lors du soulèvement en Pologne, il reviendra dans son pays après 10 ans d'exil et entrera au Carmel.

MA SEMAINE EN UN CLIN D'ŒIL:

Le *Jour du Seigneur* a fréquenté quelques grands festivals: celui du folklore de Drummondville qu'on nomme maintenant le Mondial des cultures de Drummondville. Fin des années 80 et début des années 90. Pour des célébrations le plus souvent œcuménique. Aussi le Festival des montgolfières de Gatineau, début des années 90.

NOVEMBRE

SAMEDI 20

Ambroise Traversari (1386-1439)

Abbé général des Camaldules, en Italie. Sa science facilita les rapports entre Grecs et Latins au concile de Florence.

RENDEZ-VOUS DE LA SEMAINE:

√

√

√

√

NOVEMBRE

DIMANCHE **21**

CHRIST ROI DE L'UNIVERS

Oui, Seigneur Jésus, nous te disons merci pour ton royaume où tu nous accueilles tous: royaume d'amour et de pardon. Nous te louons, toi le roi de l'univers: l'univers des pauvres, des humbles et des petits, l'univers des larrons qui te supplient de ne pas les oublier. Nous te disons merci de nous manifester tant de confiance, en vous invitant à collaborer à l'extension de ton règne. Oui, Seigneur Jésus, que ton règne vienne sur la terre comme au ciel.

21 novembre 1992
Christ-Roi, Moncton, N.-B.
Président de l'assemblée: Camille Johnson, prêtre

L'homélie actualise la Parole de Dieu

Ce que la Parole m'inspire pour ce Jour du Seigneur…

NOVEMBRE

LUNDI 22

Cécile (IIᵉ siècle)

Martyre au IIᵉ siècle. On écrivit qu'elle chantait dans son cœur pendant son martyre. Elle est la patronne des musiciens.

MARDI 23

Clément († 97)

Compagnon de saint Pierre, il est considéré comme le troisième successeur de l'apôtre. Auteur d'une lettre aux Corinthiens sur la paix mutuelle.

MERCREDI 24

André Dung-Lac et ses compagnons († 1839)

Ils comptent parmi les 117 martyrs vietnamiens canonisés le 19 juin 1988 par Jean Paul II. On estime que 80 000 chrétiens ont été mis à mort pendant les persécutions vietnamiennes.

NOVEMBRE

Catherine d'Alexandrie (IIe siècle)   JEUDI **25**

La dévotion populaire a attribué à cette jeune
martyre le patronage de la philosophie et la pro-
tection des femmes célibataires ayant dépassé le
cap des 25 ans.

Jean Berchmans (1599-1621)   VENDREDI **26**

Jeune jésuite belge. Il démontra une grande
fidélité à l'Évangile en même temps qu'une joie
contagieuse. Il est mort à 22 ans.

MA SEMAINE EN UN CLIN D'ŒIL:

Le 24 décembre 1993, on célèbre le 40e anniversaire de la première messe
télévisée au Canada. Célébration médiatique présidée par Roland Leclerc à
l'église du Gesù. Présence virtuelle de plusieurs régions du pays. Images
d'archives, mais ton nouveau et jeunesse dans l'air.

NOVEMBRE

SAMEDI 27

Léonard de Port-Maurice (1676-1751)

Il est le patron des prédicateurs de retraite et de missions populaires. Au XVIIIe siècle, en Italie, il avait développé un style de prédication populaire et de mission paroissiale.

_____

_____

_____

_____

_____

_____

_____

_____

_____

 RENDEZ-VOUS DE LA SEMAINE:

√

√

√

√

NOVEMBRE

PREMIER DIMANCHE DE L'AVENT

Le temps de l'Avent! Un temps où Jésus, qui déjà vit au milieu de nous, nous invite à percevoir encore mieux sa présence et à nous rapprocher de lui.

Jésus nous a dit de quelle manière nous devons vivre l'Avent.

«Veillez», nous a-t-il dit. Soyez des veilleurs. Soyez des hommes et des femmes éveillés. Soyez aux aguets. Cherchez le Seigneur. Soyez attentifs aux moindres signes de sa présence. Ayez le regard limpide. Et que vos cœurs, et que tout votre être soient tendus vers le Christ.

2 décembre 1984
Grand Séminaire, Montréal
Président de l'assemblée: Mgr Paul Grégoire
«30e anniversaire de la messe télévisée»

L'homélie actualise la Parole de Dieu

Ce que la Parole m'inspire pour ce Jour du Seigneur...

_____

_____

_____

_____

_____

_____

NOVEMBRE/DÉCEMBRE

LUNDI 29

Vincent Romano (1751-1831)

Curé napolitain inspiré par les ouvrages d'Alphonse de Liguori. Il rédigea, pour ses paroissiens, un manuel pratique pour méditer l'Eucharistie et fonda une coopérative pour les pêcheurs de corail.

MARDI 30

André (Ier siècle)

Il fut le premier à être appelé par Jésus pour faire partie des apôtres. Il mourut martyr à Patras (en Grèce), pendu, dit-on à une croix en forme de X.

MERCREDI 1er

Éloi (588-660)

Il fut orfèvre à Limoges. Il émerveilla le roi Clotaire par son habileté et son honnêteté. Il remplit plusieurs missions diplomatiques. Il devint évêque.

DÉCEMBRE

Jean Ruysbroeck (1293-1381)
Ce chanoine belge est un des plus grands auteurs mystiques de tous les temps. Il s'est retiré avec des compagnons au Gronendal, en banlieue de Bruxelles.

JEUDI 2

François Xavier (1506-1552)
Né en Navarre, mort en Chine. Il fut l'un des six premiers membres de la Compagnie de Jésus avec Ignace de Loyola. Il est le patron des missions et des missionnaires.

VENDREDI 3

MA SEMAINE EN UN CLIN D'ŒIL:

L'auteur-compositeur Robert Lebel est très souvent présent au *Jour du Seigneur*, par ses œuvres évidemment. Mais en la fête du Christ-Roi de l'automne 1995, était présentée *La Messe du Soir*, qu'il présidait lui-même. La messe était célébrée à l'église Saint-Pierre-Apôtre.

DÉCEMBRE

SAMEDI **4**

Jean Damascène (675-749)

Il était «préfet du divan» à la cour du calife de Damas, quand il devint moine et prêtre. Grand théologien marial, il a composé plusieurs hymnes liturgiques encore utilisées aujourd'hui.

_____

_____

_____

_____

_____

_____

_____

_____

_____

_____

RENDEZ-VOUS DE LA SEMAINE:

√

√

√

√

DÉCEMBRE

DIMANCHE 5

DEUXIÈME DIMANCHE DE L'AVENT

Dieu le Père nous a donné son plus beau cadeau. Il nous a envoyé son fils, Jésus, il y a près de 2 000 ans. Il est né à Bethléem. Il est venu habiter parmi nous. Depuis qu'il est ressuscité, Jésus est avec nous pour toujours. Nous ne sommes plus seuls, Dieu est avec nous. Voilà pourquoi nous sommes dans la joie.

Oui, c'est possible d'être toujours dans la joie même quand c'est difficile, quand on a des problèmes, des difficultés, des échecs, des épreuves...

Que devons-nous faire pour demeurer dans la joie? Il faut accueillir Jésus et prendre le chemin qu'il a pris, en vivant comme Jésus, en vivant l'Évangile.

14 décembre 1997
Saint-Jude, Longueuil
Président de l'assemblée: Jacques Lebœuf, prêtre
«Journée des jeunes à la télévision»

L'homélie actualise la Parole de Dieu

Ce que la Parole m'inspire pour ce Jour du Seigneur...

DÉCEMBRE

LUNDI 6

Nicolas (IIIe siècle)

Né vers 270 en Asie Mineure, il fut évêque de Myre (Turquie). Un bon pasteur, préoccupé par la défense des enfants. Sa grande bonté lui valut une auréole de sainteté, de son vivant.

MARDI 7

Ambroise (339-397)

Il était chef de police à Milan quand le peuple le désigna évêque. Il fut un grand promoteur de la liturgie et du chant religieux. Il a converti saint Augustin.

MERCREDI 8

Immaculée Conception

Dès les premiers siècles, les chrétiens grecs affirmaient la pureté originelle de Marie. Les Latins s'y rallièrent au Xe siècle. Pie IX en fit un dogme en 1854. En 1858, la Dame de Lourdes s'identifia ainsi à la jeune Bernadette: «Je suis l'Immaculée Conception».

DÉCEMBRE

Bernard Silvestrelli (1831-1911) JEUDI **9**
Romain qui dirigea pendant près de 30 ans l'Ordre des Passionistes. Sa congrégation connut une grande expansion sous son influence.

Notre-Dame-de-Guadelupe VENDREDI **10**
En 1531, une «dame du ciel» apparaît à l'Indien Juan Diego, à Tepeyac, colline de Mexico. Son image est imprimée sur le tilma du paysan. Jean Paul II l'invoqua comme la Mère des Amériques.

MA SEMAINE EN UN CLIN D'ŒIL:

Le 30 juin 1996, c'est le Festival des enfants du monde. Ils sont venus de plusieurs pays, ils parlent différentes langues, ils sont de diverses religions, mais ils se rejoignent dans le geste, dans le sourire et la joie. La messe est diffusée de l'église de La-Nativité de Beauport.

DÉCEMBRE

SAMEDI **11**

Damase (305-384)

Sa papauté donna une impulsion au culte des martyrs. Il accepta le latin comme langue d'Église pour l'Occident. Il a promulgué le canon des Écritures.

_____

_____

_____

_____

_____

_____

_____

_____

_____

_____

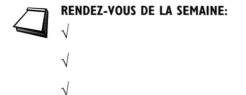 **RENDEZ-VOUS DE LA SEMAINE:**

√

√

√

√

DÉCEMBRE

DIMANCHE **12**

TROISIÈME DIMANCHE DE L'AVENT

Soyons fiers de notre foi, devenons des chrétiens convaincus pour être convaincants, nous avons une bonne nouvelle à annoncer, Jésus-Christ ressuscité. Nous avons une bonne nouvelle, bien que pour certains elle n'est peut-être ni nouvelle ni bonne. Nous avons à trouver des mots nouveaux pour dire cette rencontre avec Jésus-Christ, pour affirmer notre foi, crier Dieu par toute notre vie, qu'en nous entendant, qu'en nous voyant les gens aient le goût de rencontrer Dieu et qu'en nous écoutant, ils aient le goût de l'aimer.

27 avril 2003
Saint-Joseph-de-Mont-Royal, Montréal
Président de l'assemblée: Richard Depairon, prêtre

L'homélie actualise la Parole de Dieu

Ce que la Parole m'inspire pour ce Jour du Seigneur…

DÉCEMBRE

LUNDI 13

Lucie († 305)

Vierge et martyre vénérée en Sicile. Au moment de sa mort, elle prédit à ses bourreaux la fin des persécutions et la longue paix de l'Église sous Constantin.

MARDI 14

Jean de la Croix (1542-1591)

À l'invitation de Thérèse d'Avila, il participa à la réformation du Carmel. Maître en spiritualité il mourut à Ubeda, en Espagne, en 1591, dans l'abandon le plus complet.

MERCREDI 15

Charles Steeb (1773-1856)

Élevé dans la foi luthérienne, il se convertit au catholicisme et devint prêtre. Il a fondé les Filles de la Miséricorde.

DÉCEMBRE

Honorat Kozminski (1829-1916)

Il était un architecte polonais athée. Ayant contracté le typhus, il vécut une expérience spirituelle profonde. Il devint capucin et fonda une vingtaine d'instituts séculiers.

Lazare (Ier siècle)

Frère de Marthe et de Marie de Béthanie. Il était mort depuis trois jours quand Jésus l'a ramené à la vie. Sans être un apôtre, Lazare est considéré comme un ami intime de Jésus.

MA SEMAINE EN UN CLIN D'ŒIL:

Le premier septembre 1996, première messe de la rentrée. À l'église Saint-Pierre-Apôtre, à l'ombre de la Maison de Radio-Canada. Il s'agit d'une tradition qui tend à s'instaurer. La messe est habituellement présidée par l'animateur Roland Leclerc. Elle tend à devenir un rendez-vous annuel pour quelques centaines d'amis du *Jour du Seigneur*.

DÉCEMBRE

SAMEDI 18

Gatien (IIIe siècle)

Premier évêque de Tours, en France. Il a établi de fortes traditions catholiques. La cathédrale de Tours est placée sous son patronage.

 **RENDEZ-VOUS DE LA SEMAINE:**

√

√

√

√

DÉCEMBRE

QUATRIÈME DIMANCHE DE L'AVENT

«Noël»

Noël est la fête où l'on prend particulièrement conscience que chaque personne est importante sur terre, que chaque être humain est digne de respect et d'amitié, que chacun mérite considération. Car c'est à nous tous qu'est redite, cette nuit, la parole qui fut proclamée aux bergers: «Je vous annonce une bonne nouvelle, une grande joie… Aujourd'hui vous est né un Sauveur… Il est le Messie, le Seigneur.»

Il fallait qu'il nous estime et nous aime, Dieu, pour nous envoyer son Fils. Il faut qu'il nous estime et nous aime, Dieu, pour continuer à nous donner son Fils. Et c'est ce qui arrive. Et c'est ce que nous fêtons à Noël: Dieu qui nous envoie son Fils. Dieu qui rend son Fils présent sur notre terre, pour qu'il marche à nos côtés, pour qu'il soit notre ami, notre soutien, notre conseiller, pour qu'il soit notre paix, pour qu'il soit notre joie.

24 décembre 1994
Maison du Père, Montréal
Président de l'assemblée: Cardinal Jean-Claude Turcotte

L'homélie actualise la Parole de Dieu

Ce que la Parole m'inspire pour ce Jour du Seigneur…

_____

_____

_____

DÉCEMBRE

LUNDI 20

Zéphyrin († 218)

Il a gouverné l'Église pendant 15 ans sous les persécutions de Septime Sévère. C'est lui qui a décrété l'obligation de la communion pascale.

MARDI 21

Pierre Canisius (1521-1597)

Jésuite, il lutta toute sa vie contre le protestantisme en Allemagne. Il a composé plusieurs catéchismes et a fondé quelques collèges.

MERCREDI 22

Françoise-Xavier Cabrini (1850-1917)

Elle a fondé une congrégation religieuse pour venir en aide aux immigrants. Installée à New York en 1889, elle développa son institut dans les deux Amériques. Elle est la patronne des immigrants.

DÉCEMBRE

Jean de Kenty (1390-1473) JEUDI **23**

Professeur d'université, mais entièrement dévoué au service des pauvres. Il avait comme maxime: «Un pauvre vient, le Christ vient.» Il était adepte des pèlerinages.

Adèle (675-735) VENDREDI **24**

Elle était la fille de Dagobert II et la sœur de sainte Hermine. Elle fonda vers 690 un monastère à Pfaltz, où elle éleva sont petit-fils, Grégoire, qui devint compagnon de saint Boniface.

MA SEMAINE EN UN CLIN D'ŒIL:

On a dit que Le Jour du Seigneur pouvait, à l'occasion, se présenter comme un laboratoire de recherche liturgique. Qu'on se rappelle une messe célébrée avec le groupe FOI ET CULTURE, à l'agora du pavillon Judith Jasmin à l'Université du Québec à Montréal, pour le dimanche des communications, le 9 février 1996.

DÉCEMBRE

SAMEDI **25**

NOËL

La chrétienté célèbre la Nativité selon la chair de Jésus de Nazareth, fils de Dieu, Christ et Seigneur. L'ensemble du mystère est porté par le nom d'Emmanuel qui signifie «Dieu avec nous».

RENDEZ-VOUS DE LA SEMAINE:

√

√

√

√

DÉCEMBRE

FÊTE DE LA SAINTE-FAMILLE

«Messe de minuit»

Les bergers furent enveloppés par une lumière venue d'en haut. Quand ils se trouvèrent devant l'enfant qui venait de naître, ils comprirent qu'il étaient arrivés au cœur d'une théophanie. Les Rois mages venus d'Orient éprouveront la même certitude plus tard, lorsqu'ils se trouveront au seuil de la chaumière. Eux aussi, comme les bergers, arrivent sous le rayonnement de la lumière divine qui est venue dans le monde. Les ténèbres n'ont pas arrêté cette lumière (cf. Jn 1,5). Et elles ne l'arrêteront pas. Comme dans la nuit de Bethléem, ni les ténèbres de la pauvreté, ni la désolation de l'abandon et de l'humiliation n'ont pu assombrir la Lumière du Mystère divin. Oui, le Verbe s'est fait chair.

24 décembre 1992
Saint-Pierre, Rome
Président de l'assemblée: Pape Jean-Paul II

L'homélie actualise la Parole de Dieu

Ce que la Parole m'inspire pour ce Jour du Seigneur...

DÉCEMBRE

LUNDI 27

Jean (Ier siècle)

Apôtre et évangéliste. Au tombeau, il est le premier à reconnaître le Christ ressuscité. Après la Pentecôte, il sera aux côtés de Pierre pour bâtir l'Église. Il meurt à Éphèse, en Turquie.

MARDI 28

Les Saints Innocents

Cette fête qui remonte au VIe siècle rappelle les victimes d'Hérode, mais aussi tous ces enfants maltraités et bafoués dans le monde ainsi que tous ceux à qui l'on refuse la vie.

MERCREDI 29

Thomas Beckett (1118-1170)

Il fut archevêque de Canterbury. Il s'opposa aux visées de son ami le roi Henri II qui voulait assujettir l'Église. Il mourut assassiné.

DÉCEMBRE

Philippe Siphong († 1940)

JEUDI **30**

En 1940, en Thaïlande, les boudhistes voulaient faire disparaître la religion chrétienne. Le caté-chiste Philippe Siphong résista à la tête d'une petite communauté.

Sylvestre († 335)

VENDREDI **31**

Il est le pape qui vécut la paix de Constantin. Il soutint les grandes réalisations de l'Empereur. Il envoya ses légats au concile de Nicée pour condamner l'hérésie d'Arius.

MA SEMAINE EN UN CLIN D'ŒIL:

Le 24 décembre 1998, les Français célèbrent le 50e anniversaire de la première messe télévisée au monde, affirment-ils. La messe est célébrée à Notre-Dame de Paris, et présidée par monsieur le cardinal Jean-Marie Lustiger. 50 ans après le cardinal Suhard qui avait fait son sermon sur l'avènement de la télévision.

Le dimanche de l'Ascension, 1er juin 2003, la télévision de Radio-Canada présente la liturgie de la messe en la chapelle des Bénédictins, à Saint-Benoit-du-Lac. En lien avec ce rendez-vous, André Raymond, le coordonnateur liturgique du *Jour du Seigneur* fait paraître dans la revue des Amis de Saint-Benoît-du-Lac une réflexion sur la présence des caméras dans un cloître.

L'AUDACE DE LA TÉLÉVISION

Les Bénédictins célèbrent la fête de l'Ascension avec les fidèles
du *Jour du Seigneur*, à la télévision de Radio-Canada.
Est-ce aller trop loin au nom de la communion eucharistique?

Il y a, dans le fait de franchir le seuil d'un monastère, quelque chose d'audacieux. Encore plus quand on y entre avec trois caméras-télévision, de l'éclairage à profusion et des kilomètres de fils électriques; alors l'audace devient presque de l'inconvenance. Pourtant, pour ce rendez-vous longuement souhaité par l'équipe du *Jour du Seigneur*, les Bénédictins ont ouvert généreusement leurs grilles et donnent à l'auditoire canadien l'occasion d'entrer dans une tradition riche de spiritualité et de liturgie.

En 50 ans, nous n'avions pas trouvé l'espace-temps pour cette rencontre entre l'abbaye Saint-Benoit et Le *Jour du Seigneur*. Mais pour l'occasion toute particulière de la fête de l'Ascension du Seigneur qui est célébrée soit le jeudi soit le dimanche, le Conseil de l'abbaye a accepté, et nous demeurons profondément touchés par cette confiante collaboration. Mais, est-ce rompre avec la tradition du silence à laquelle loge la communauté bénédictine depuis des générations? Est-ce que l'eucharistie célébrée par les moines ne serait pas de l'ordre des choses que l'on réserve à l'abri de la clôture monastique? Vie cloîtrée et télévision ont tout pour s'opposer. Mais nous préférons relire cet événement à la lumière des connivences plutôt qu'à l'ombre des différences.

En plaçant l'eucharistie au cœur de ce rendez-vous, nous avons rendu banales bien des questions de sens et de droit. Les Bénédictins sont gardiens d'une clé de compréhension de l'eucharistie qui n'est pas étrangère au travail de télédiffusion de la messe. La vie monastique, selon notre regard, fait éclater le temps et lui redonne à chaque moment sa dimension d'éternité. Elle redéfinit aussi l'espace, en le restreignant, elle incite à l'universalité, à la communion profonde avec l'infini. Et à tendre à ramener tout à l'essentiel, à la simplicité, elle met en valeur la grandeur de la beauté quand elle dépasse les seuls critères de l'esthétique. Mais quand, en plus, la recherche d'esthétique est au service d'un sens aussi noble que la rencontre de Dieu, cela crée un état de contemplation, provoque un état de grâce qui attire, qui rassemble. Le Jour du Seigneur, fort du médium qu'est la télévision, se reconnaît de cette famille où le temps, l'espace et la beauté peuvent prendre une autre signification.

Présenter la messe au petit écran pourrait n'être qu'un exercice de service, comme la présentation d'événements sportifs ou culturels. Mais il y a plus. Le Jour du Seigneur est Jour de Dieu pour tant d'auditeurs, leur rencontre dominicale avec une communauté célébrante qui permet de nourrir leur foi, d'être en communion réelle et profonde avec d'autres croyants, dans cette église virtuelle mais réelle provoquée par la télévision. Bien sûr, il y manque ce corps à corps qui conduit au partage du Pain et à la fraternité. Mais au-delà de la corporéité, il y a une vraie rencontre. Et ce Jour de Dieu rendu manifeste par l'heure de pause proposée par Radio-Canada donne sens à leur vie. Peu importe le lieu où ils sont, si petite soit sa chambre d'hôpital, ou son salon, ou sa cellule, l'auditeur devient membre de l'assemblée, il est présent dans l'église, et sa maison devient cathédrale, quelque part dans le monde. L'espace n'est plus le même. Ses gestes changent, son attitude suit le mouvement de la foule rassemblée et, jusqu'à un certain point, il fait corps avec la communauté priante.

Le temps n'est plus le même non plus. Peu importe que la célébration diffusée à 10 h soit en direct ou ait été enregistrée la veille, l'eucharistie pour l'auditeur est réelle, occupe l'instant présent, éclaire autrement le quotidien, l'enchaînement des heures et des jours. Cette rencontre rendue possible par la télévision offre un moment d'infini, change la valeur du temps, l'eucharistie dépasse l'aujourd'hui, et faire mémoire du Christ mort et ressuscité n'appartient plus à un moment précis de l'histoire. Elle est située dans le temps en même temps qu'elle lui échappe. Elle est l'éternité d'un moment qui a changé le cours de l'histoire, notre rapport à Dieu, à l'univers.

Enfin, la messe télévisée est en quête de beauté. Pas nécessairement la perfection architecturale ou la virtuosité des chants. Pas non plus la liturgie exemplaire. Ni même l'esthétique des intervenants. Tant mieux si tout cela se trouve. Mais *Le Jour du Seigneur* cherche la beauté qui naît de la vérité. La foi en Dieu est souvent plus crédible dans le visage silencieux d'un fidèle que dans la prière récitée par le président. La beauté des chants dépasse des sons quand les regards disent le sens de l'action de grâce. La beauté profonde du geste d'un président d'assemblée qui souhaite la paix est souvent plus éloquente que tous les discours qui incitent à baisser les armes. La perfection de l'arc formé par les piliers de l'église pointant vers le ciel peuvent dire Dieu, d'une certaine manière. Et la télévision se veut témoin de cela: la lumière, la lentille, l'histoire écrite à travers les images veulent manifester l'au-delà des apparences et dire l'indicible.

Et le silence de la télévision qui s'efface pour donner place à l'essentiel n'a-t-il pas quelque chose de monastique? La complicité dans l'accueil de l'indicible aura provoqué encore une fois une heureuse rencontre entre la communauté des ondes, la télévision du *Jour du Seigneur*, et la communauté de Saint-Benoît-du-Lac. Nous lui en sommes profondément reconnaissants. Nous devinons à peine la valeur infinie de ce tout que les moines nous ont partagé de leur foi à travers cette eucharistie de l'Ascension, et la portée de cette célébration pour les auditeurs. Et nous ne chercherons pas à savoir: il y a aussi, en commun, l'humilité de ne pas toujours savoir comment le cœur des gens est touché dans nos trop brefs rendez-vous! Nous savons, cependant, à quel pont ce projet commun restera marquant dans l'histoire de l'émission, et la nôtre.

André Raymond,
pour l'équipe du *Jour du Seigneur*
à la télévision de Radio-Canada
(29 mai 2003)

Le Jour du Seigneur est le résultat d'un travail d'équipe. L'engagement de la Société Radio-Canada, la générosité des communautés chrétiennes et la fidélité des téléspectateurs en font une émission exceptionnelle depuis 50 ans. Merci à chacun et chacune de vous!

L'usage de donner un saint patron aux divers métiers ou états de vie remonte aux corporations du Moyen Âge. Ce patronage eut une conséquence pratique et économique: à cette époque, outre les jours de marché, l'année comptait 167 jours fériés par an! La plupart de ces patronages ont pour origine une activité exercée par le saint ou la sainte, ou un épisode de sa vie. Certaines professions ont plusieurs saints patrons et, inversement, certains saints patronnent plusieurs professions. Voici les saints patrons de quelques professions ou états de vie:

JANVIER
3: Geneviève — patronne des gendarmes
17: Antoine le Grand — patron des charcutiers
20: Sébastien — patron des archers
22: Vincent — patron des vignerons
23: Charlemagne — patron des écoliers
24: François de Sales — patron des écrivains, de la presse catholique et des journalistes
27: Julien l'Hospitalier — patron des aubergistes
28: Thomas d'Aquin — patron des écoles et universités catholiques

FÉVRIER
3: Blaise — on l'invoque pour les maux de gorge
4: Véronique — patronne des photographes
6: Gaston — on pourrait lui faire patronner le catéchisme des adultes
9: Apolline — patron des dentistes
14: Valentin — patron des amoureux
27: Honorine — Patronne des bateliers

MARS
18: Fra Angelico — patron des artistes

19: Joseph — patron des travailleurs, des ouvriers, des charpentiers

AVRIL
5: Vincent Ferrier — patron des couvreurs
23: Georges — patron des scouts et des cavaliers
27: Zita — patronne des employés de maison

MAI
3: Jacques le Mineur — patron des chapeliers
11: Estelle — patronne du Félibrige (École littéraire en langue d'Oc)
16: Honoré — patron des boulangers et des pâtissiers
17: Pascal — patron des congrès et des œuvres eucharistiques (proclamé par Léon XIII en 1897)
19: Yves — Patron des avocats
22: Rita de Cascia — on l'invoque pour les causes désespérées
28: Jean Bosco — patron des apprentis

JUIN
8: Ménard — patron des cultivateurs et des brasseurs
15: Bernard de Menthon — patron des skieurs et des alpinistes

21: Louis de Gonzague — patron de la jeunesse étudiante
24: Jean Baptiste — patron des Canadiens français et des couteliers
29: Pierre — patron des maçons, des pêcheurs, des poissonniers
29: Paul — patron des cordiers

JUILLET
3: Thomas — patron des architectes
14: Camille de Lellis — Patron des infirmiers et infirmières
22: Marie Madeleine — patronne des parfumeurs
25: Christophe — patron des voyageurs et aujourd'hui des automobilistes
25: Jacques le Majeur — patron des pèlerins
26: Anne — patronne des marins et des dentellières

AOÛT
4: Jean-Marie Vianney — patron des curés et paroisses (en France)
10: Laurent — patron des bibliothécaires et des cuisiniers
14: Arnold — patron des brasseurs de bière
24: Barthélémy — patron des bouchers
25: Louis — patron des coiffeurs
30: Fiacre — patron des chauffeurs et des taxis

SEPTEMBRE
3: Grégoire le Grand — patron des chantres
12: Guy — patron des carrossiers

18: Joseph de Copertino — patron des aviateurs
21: Matthieu — patron des banquiers et des comptables
27: Vincent de Paul — patron de toutes les œuvres charitables
29: Michel — patron des parachutistes
30: Jérôme — patron des traducteurs

OCTOBRE
1: Thérèse de Lisieux — patronne des missions
23: Jean de Capistran — patron des aumôniers militaires
18: Luc — patron des médecins et des sculpteurs

NOVEMBRE
3: Hubert — patron des chasseurs
6: Winnoc — patron des meuniers
11: Martin — patron des militaires
22: Cécile — patronne des musiciens
25: Catherine — patronne de toutes celles qui atteignent l'âge de 25 ans sans être mariées (on les appelle les catherinettes) et des étudiants
27: Léonard — patron des prédicateurs de retraite

DÉCEMBRE
1: Éloi — patron des horlogers et des plombiers
4: Barbe — patronne des pompiers et brossiers
3: François Xavier — patron des missions et des missionnaires
6: Nicolas — patron des navigateurs, des jeunes filles sans dot et des enfants sages
13: Lucie — patronne des électriciens

Pour un partage équitable de la richesse

Terre Sans Frontières est un organisme de coopération internationale qui a été fondé en 1980 par les Frères de l'Instruction chrétienne (FIC), afin d'appuyer l'effort missionnaire des frères, des diocèses et des autres communautés missionnaires et autochtones où les FIC sont engagés.

La mission de Terre Sans Frontières vise le développement durable des populations des pays en voie de développement, principalement dans la région des Grands Lacs africains (Burundi, Rwanda, Tanzanie, Kenya, Ouganda, RDCongo), en Haïti et en Amérique latine. Terre Sans Frontières y soutient des projets qui répondent aux besoins de base exprimés par les populations dans plusieurs secteurs, dont l'éducation, l'eau, la santé, l'appui institutionnel et des projets missionnaires de développement.

Pour atteindre ses objectifs sur le terrain, Terre Sans Frontières compte sur la participation bénévole de travailleurs, de techniciens, de retraités et même de professionnels qui mettent leur expertise au service des plus démunis dans des domaines aussi variés que l'aviation humanitaire (Avions Sans Frontières), la santé visuelle (Optométristes Sans Frontières), la santé dentaire (Dentistes Sans Frontières) ou l'appui psychothérapeutique (Aide à la reconstruction de personnes).

Toutes ces actions sont rendues possibles grâce à la générosité des citoyens canadiens, des gouvernements du Canada et du Québec, de la Banque Mondiale et de plusieurs partenaires, notamment les communautés religieuses et les paroisses.

En plus de s'investir dans des projets de développement international, Terre Sans Frontières travaille également à la promotion de la solidarité internationale avec son programme d'éducation et de sensibilisation du public, afin de développer les concepts de la citoyenneté planétaire et du partage équitable de la richesse. En effet, c'est sur le partage et l'entraide, dont l'une des plus belles manifestations est le bénévolat, que Terre Sans Frontières souhaite construire les assises d'un monde plus égalitaire.

Pour plus d'information
Terre Sans Frontières
399, rue des Conseillers, bureau 23
La Prairie (Québec)
J5R 4H6
Tél.: (450) 659-7717
Téléc.: (450) 659-2276
Courriel: tsf@terresansfrontieres.ca
Site Web: www.terresansfrontieres.ca

À partir des profits réalisés grâce à la vente de cet agenda, *Le Jour du Seigneur* et *Terre Sans Frontières* aideront à la réalisation du projet de l'Association AGAKURA, un projet d'intervention auprès des enfants de la rue au Burundi, dont le responsable est le père Déogratias Banzirumuhito, dominicain.

NOM ET ADRESSE	TÉLÉPHONE
	maison
	travail
	télécopieur
	cellulaire
	maison
	travail
	télécopieur
	cellulaire
	maison
	travail
	télécopieur
	cellulaire
	maison
	travail
	télécopieur
	cellulaire
	maison
	travail
	télécopieur
	cellulaire
	maison
	travail
	télécopieur
	cellulaire
	maison
	travail
	télécopieur
	cellulaire

NOM ET ADRESSE	TÉLÉPHONE
	maison
	travail
	télécopieur
	cellulaire
	maison
	travail
	télécopieur
	cellulaire
	maison
	travail
	télécopieur
	cellulaire
	maison
	travail
	télécopieur
	cellulaire
	maison
	travail
	télécopieur
	cellulaire
	maison
	travail
	télécopieur
	cellulaire
	maison
	travail
	télécopieur
	cellulaire

Répertoire téléphonique

NOM ET ADRESSE	TÉLÉPHONE
	maison
	travail
	télécopieur
	cellulaire
	maison
	travail
	télécopieur
	cellulaire
	maison
	travail
	télécopieur
	cellulaire
	maison
	travail
	télécopieur
	cellulaire
	maison
	travail
	télécopieur
	cellulaire
	maison
	travail
	télécopieur
	cellulaire
	maison
	travail
	télécopieur
	cellulaire

NOM ET ADRESSE	TÉLÉPHONE
	maison
	travail
	télécopieur
	cellulaire
	maison
	travail
	télécopieur
	cellulaire
	maison
	travail
	télécopieur
	cellulaire
	maison
	travail
	télécopieur
	cellulaire
	maison
	travail
	télécopieur
	cellulaire
	maison
	travail
	télécopieur
	cellulaire
	maison
	travail
	télécopieur
	cellulaire

Répertoire téléphonique

NOM ET ADRESSE	TÉLÉPHONE
	maison
	travail
	télécopieur
	cellulaire
	maison
	travail
	télécopieur
	cellulaire
	maison
	travail
	télécopieur
	cellulaire
	maison
	travail
	télécopieur
	cellulaire
	maison
	travail
	télécopieur
	cellulaire
	maison
	travail
	télécopieur
	cellulaire
	maison
	travail
	télécopieur
	cellulaire

NOM ET ADRESSE	TÉLÉPHONE
	maison
	travail
	télécopieur
	cellulaire
	maison
	travail
	télécopieur
	cellulaire
	maison
	travail
	télécopieur
	cellulaire
	maison
	travail
	télécopieur
	cellulaire
	maison
	travail
	télécopieur
	cellulaire
	maison
	travail
	télécopieur
	cellulaire
	maison
	travail
	télécopieur
	cellulaire

Notes

Notes

Notes

Notes

IMPRIMÉ AU CANADA